책제목도 심플하고 내용도 쉽고 간결하다. 그러나 우리에게 주는 무게감은 묵직하다. 한번 읽고 지나치기에는 아쉬움이 남는다. 책상머리에 두고 수시로 펴봐야 할 것 같다. 결심이 흔들리지 않도록 스스로를 다잡는 데 이만한 자극제가 있겠는가.

— 맹상호, (주)퍼니넷 대표이사

『한국의 부자들』은 한국에서는 획기적인 시도로, 금융계 종사자들에게 꼭 한번 읽어보길 권한다. 마케팅 교과서가 수두룩하고 특히 외국 번역본이 넘쳐나지만 정작 고객이 누구인지 말해주는 책은 별로 없다. 우리를 대신해 발품을 판 저자에게 감사한다.

— 권성철 한국투자신탁증권 고문, 전 중앙일보 전문위원

돈에는 전문가라고 생각해왔지만, 이 책을 보고 생각을 달리하게 됐다. 부자들에 비하면 내가 가진 지식과 경험이 초라하다는 느낌이었다. 저자가 조사한 것처럼, 부자들은 보통 사람보다 한발 앞서 간다.

— 황유원, 미래에셋증권 채권운용 팀장

스스로의 힘으로 부를 성취한 한국의 부자들을 속속들이 해부하고 있다. 마케팅 대상인 부자들을 어떻게 공략해야 할 지에 대해 많은 아이디어를 준다. PB계통에 있는 직업인이라면 반드시 읽어볼 필요가 있다.

— 강현민, 33세, 삼성생명 LP

스스로 즐거워야 고객을 만족시킬 수 있고, 고객이 고객을 몰고 온다는 진리를 새삼스럽게 인식할 수 있었다. 사업 또는 자영업을 하는 사람에게 실천적인 대안을 제시하는 마케팅 교과서다.

— 이미옥, 36세, 약사

평범한 부자들의 리얼한 삶을 전달하고 있다. 재벌회장들처럼 먼 거리에 있는 대상이 아닌, 우리 주변에서 흔히 볼 수 있는 부자들의 자산운용방법과 돈에 대한 철학을 배울 수 있다. 보통 직장인도 따라 할 수 있다는 점에서 반갑게 다가온다.

— 홍성국, 대우증권 투자분석부장

[한국의 부자들]을 보고 남편과 의논해 삶의 방식을 바꾸기로 했다. 지금은 힘들지 모르지만 10년 후, 20년 후를 내다보고 살아야겠다. — 이명화 28세, 호주대사관 근무

스스로를 되돌아보는 계기가 되었다. 책 내용 중, 작은 배려 하나가 고객을 움직인다는 돈까스집의 사례에서 느끼는 바가 많았다. 부자들에게는 정말 특별한 것이 있다는 느낌을 받았다.

— 강관수, 자영업

가정이 원만해야 부자가 될 수 있다는 결론이 눈길을 끈다. 분수를 알고 열심히 모으는 과정이 중요하다는 것인데 맞는 말이다. — 김숙경, 32세, 주부

로또 당첨의 요행을 바라는 이여!! 이제 이 책을 펴세요. 로또 당첨금 보다 어마어마한 재산이 당신을 기다립니다. 부자의 마음자세 이 책으로 다지세요. — 마은미, 인터파크 독자서평 중에서

실제 인물들의 인터뷰 내용이어서 더 마음에 와 닿았습니다. 돈관리의 중요성도 알았고, 돈을 어떻게 쓰고 모을지 계획해 볼 수 있는 계기가 되었습니다. — 이희정, 인터파크 독자서평 중에서

저도 참 돈 좋아하는 대한민국 아줌마거든요. 책을 읽고 나서 더 독해져야겠다는 생각을 했어요. 세상을 보는 눈이 조금 더 넓어진 것 같습니다. — 임희진, 인터파크 독자서평 중에서

긍정적인 생각과 확고한 결단만이 이룰 수 있는 길이라는 것을 알았고, 또한 이 책을 통해서 한번 더 삶을 재조명 할 수 있는 계기가 된 점에서 참 즐거웠습니다. — 김주한, 인터파크 독자서평 중에서

책상머리에 앉아 남의 자료를 인용한 글이 아니라 실제 인물들들의 따끈따끈한 실제 상황의 글이라 많은 공감을 했으며, 과연 그러하기 때문에 부자가 될 수 있지 않았나 생각합니다. 말로만 백 번 지껄이는 것보다 이러한 산지식을 전파하는 것이 진짜 산 교육이라 생각합니다. — 문경대, 인터파크 독자서평 중에서

아마 처음부터 끝까지 정독을 한 책은 이 책이 처음이 아닐까 싶다. 그렇게 잡지 넘기듯 책을 넘기는 속도가 빨라지고 있었다. 나는 이 책을 읽고 나서야 진정한 부자들의 습관을 알게되었다 — 서희선, 인터파크 독자서평 중에서

신문 광고 보고 아빠가 주문하라고 하셔서 사왔는데. 그날 앉은자리에서 밑줄 그으며 두 시간만에 다 읽고. 아빠가 밑줄 그으신 부분 다시 읽고, 또 읽고, 또 읽고, 책에 있는 내용 글자 하나 빼놓지 않고 몽땅 머리 속에 넣어버리려고요. — 오정현, 인터파크 독자서평 중에서

다른 사람에게는 선물하고싶지 않다. 내가 부자 되는 데 지장이 있을 것 같아서...

다시 한번 나를 되돌아보는 계기가 되었으며 정말 좋은 도서라고 말씀드리고 싶다.

이 책은 부자들(자수성가한 사람들)의 생활 습관과 어떻게 부자가 되었는지의 과정 들을 여러 각도에서 조명함으로써 일반인들에게 궁금함을 해소하게 하였다. 사소한 습 관을 형성하게 해주는 좋은 지침서가 된 듯하다.

이 책이 그냥 베스트셀러가 된 게 아닌 것 같아요. 평소에도 재테크에 관심이 있어서 관련 책들을 읽었었는데 뜬구름 잡는 식의 내용들이 많았어요. 헌데 이 책은 구체적인 예를 들어 막연하던 재테크의 방법에 대해 실질적인 지침을 준 정말 피부에 와 닿게 만 든 책이었어요.

이 책은 내가 처음 '부자아빠...'를 읽었을 때의 충격을 상기시켰다. 바로 책을 구입해 서 읽기 시작했다. 이 책은 나에게 지속적인 자극을 줄 수 있는 책이라고 생각했다. 이 책은 내가 샀던 몇 안 되는 책 중의 하나이다.

제대로 한국의 실정을 분석해 낸 작가의 역량은 높이 살 만하다. 최근에 나온 국내 재 테크 책 중에 최고라고 생각한다.

우리가 미처 몰랐던 일에 눈을 뜨게 해준 책이다. 막연하게 느껴지던 부자의 길로 한 걸음 다가가게 해준다고 할까..

이 책에는 자기 힘으로 성공한 부자들의 작은 비결들이 담겨져 있다. 그들이 걸어간 길과 나의 지금 처지를 비교해 보면 의외로 많은 깨달음을 얻을 수 있다고 본다. 부자들 에 대한 여러 가지 궁금증을 풀어준다는 점도 흥미롭다.

이 책을 조금만 더 일찍 접했더라면 하는 아쉬움이 남는다. 책 한 페이지 한 페이지가 마치 귀한 보석처럼 느껴졌고 대단한 비법을 전수 받은 것처럼 흥분을 금할 수 없었다. 아내에게도 당장 읽어보라고 권하겠다.

한국의 부자들

한국의 부자들

초판 1쇄 인쇄 2003년 1월 29일
초판 14쇄 발행 2003년 9월 25일

지은이 / 한상복
펴낸이 / 김태영

상무 / 신화섭
편집기획 / 박수연
디자인 / 장윤정 임성언
마케팅 기획 / 정덕식 권대관 임태순
경영지원 / 하인숙 고은미 임효구

펴낸곳 / 위 · 즈 · 덤 · 하 · 우 · 스
출판등록 / 2000년 5월 23일 제13-1071호
주소 / (121-743) 서울시 마포구 도화동 538번지 성지빌딩 908-B호
전화 / 704-3861 팩스 / 704-3891
E-mail / wisdomhouse@korea.com

값 11,000원

ISBN 89-89313-32-5 03320

한국의 부자들

[자수성가한 알부자 100인의 돈 버는 노하우]

한상복 지음

위·즈·덤·하·우·스

일·러·두·기

*이 책은 우리 주변에서 볼 수 있는 '자수성가형 부자들'을 취재, 분석한 기록이다.

*부자의 기준은 현재 살고 있는 집을 제외하고 10억 원 이상의 자산을 갖고 있는 사람으로 한정했다.

*1년 2개월 동안 143명의 부자를 만났다. 그 가운데 자수성가로 보기 힘든 경우 등을 제외한 100명의 기록을 추렸다. 물론, 100명이라는 표본이 '한국의 알부자 집단'을 대표한다고는 볼 수 없다.

*부자들은 은행, 증권사, 보험사, 투자자문사 등의 영업담당자 등을 통해 주로 접촉했다. 취재 대상자가 친지를 소개해준 경우도 있다.

*취재에는 98가지 항목으로 구성된 설문지를 이용했다. 평균 취재시간은 3시간 20분 정도 걸렸다.

*이 책에 등장하는 사람들의 이름은 모두 가명이다. 취재에 응한 사람들이 실명 공개를 원치 않았기 때문이다. 가명은 취재 대상자와의 협의를 통해 '작명'되었다.

1. TV 홈쇼핑을 이용해 물건을 구입하지 않는다. 직접 가는 편이다. ☐

2. 구체적인 목표를 정하고 목돈을 만들기 위해 저축한다. ☐

3. 수입의 50% 이상을 저축하고 있다. ☐

4. 물건을 살 때 3번 이상 생각한다. ☐

5. 물건을 살 때 반드시 깎으려 한다. ☐

6. 좋은 차로 바꾼 친구를 부러워하지 않는다. ☐

7. 돈 많은 사람이 돈을 쓰는 것에는 문제가 없다고 생각한다. ☐

8. 한 해에 내가 낸 세금(원천징수 등)이 얼마인지 알고 있다. ☐

9. 종합소득세를 내고 있다. ☐

10. 세금에 대한 상식이 있으며 절세하는 법을 잘 알고 있다. ☐

11. 시중 은행의 이자율이 몇 %인지 알고 있다. ☐

12. 절약이 몸에 배인 부모 밑에서 자랐고, 부모 생각에 동의한다. ☐

13. 돈을 열심히 버는 목적은 가정의 행복과 건강이다. ☐

14. 돈을 아끼고 열심히 모으는 배우자와 함께 산다. ☐

15. 투자에 밝은 친구 혹은 부자 이웃이 있다. ☐

16. 일찍 자고 일찍 일어난다. ☐

17. 돈을 아끼는 이유는 항상 아껴쓰는 자세가 중요하기 때문이다. ☐

18. 남들로부터 성실하다는 평을 받고 있다. ☐

19. 한 번 세운 원칙은 꼭 지키는 편이다. ☐

20. 주식투자시 기대 수익률은 20~30%가 적당하다. ☐

부·자·소·질·테·스·트·결·과

17개 이상   : <u>당신은 이미 부자다.</u> 이 책을 볼 필요가 없다.

10개~16개   : 상당한 소질을 갖추고 있다. <u>부자의 길목</u>에 접어들었다.

5개~9개   : 이제 부자로서의 삶에 눈 뜨는 단계다.

                      <u>부자를 연구하고, 실천하라.</u>

5개 미만   : 부자로 가는 길의 반대로 가고 있다.

                      <u>그러나 지금부터 시작해도 늦지 않다.</u>

처음 공개된 부자의 X파일

김 정 태 (국민은행장)

　저자로부터 이 책의 교열본을 건네 받아 읽어본 나는 '부자들의 X-파일'이 공개됐다는 느낌을 받았다. 누구보다 많은 땀을 흘리고, 눈물을 삼키며 부자가 되겠다는 '꿈'을 이룬 이들이 고백한 무서우리만큼 솔직한 부자들의 진실이 담긴 X-파일.

　돈과의 전쟁에서 승리하고 싶은 젊은이들을 유혹하는 수많은 재테크, 머니 게임 가이드들이 있지만, 이 책은 진짜 부자들이 스스로 부(富)를 모아가는 동안 견지했던 돈에 대한 철학과 원칙을 보여주고 있다.

　그런 점에서 이재(理財)의 길에 나서려는 이들은 매우 현실적인 교훈을 배울 수 있어 유익할 것이다. 마치 수많은 전투를 거친 백전노장들이 막 전쟁터에 도착한 보충병들에게 말해주는 '살아 남는 노하우'에 비유할 수 있을까.

　단계적인 전개도 이 시대의 부자를 이해하기 좋다. 프롤로그 '정말 부자가 되고 싶은가?'에서 '부자들에겐 뭔가 특별한 것이 있다(부자 마인드).' '그들은 어떻게 부자가 되었을까?(부자 노하우)', '부자들은 어떻게 돈을 관리할까?(부자의 재산운용)', '되는 집안은 뭔가 다르다(부자의 가정관리)' 순으로 넘어가는 구성은 한번 손에 잡으면 끝을 보고 싶은 마음에 쉽게 놓지 못하게 한다.

일선 취재기자인 저자가 100여 명의 '알부자들'이 말한 부자의 모든 것을 정확하게 잡아내어 생생한 글맛으로 버무려 쉽게 전달하고 있기 때문이다.

오늘날 우리 사회는 천민 자본주의에서 비롯된 물신숭배에 물들어 많은 젊은이들이 경제적 성공을 맹목적으로 추구하는 경향이 많다. 굳이 막스 베버의 '프로테스탄티즘 윤리와 자본주의 정신'을 끌어들이지 않더라도 이 책에 등장하는 부자들에게는 성실, 원칙, 신용, 절제, 인내, 책임과 같은 미덕이 있다. 그리고 '스스로 즐겁지 않으면 굳이 그 일을 할 필요가 없다' 는 돈가스집 박경래 사장과 같은 신념을 만나게 된다.

'부자는 하늘에서 낸다' 는 말이 있지만 '하늘은 스스로 돕는 사람을 돕는다' 는 것을 느끼게 한다. 정말 '부자' 가 되고 싶은 분들에게 권할 만한 'FM(Field Mannual)' 이 아닐 수 없다.

정말 부자가 되고 싶은가?

부자 집안은 콩가루 집안?

한국의 부자들은 어떤 사람들일까? 공부는 많이 한 사람들일까? 한 달 용돈은 얼마나 쓸까? 어떤 방식으로 돈을 벌게 되었을까? 재산은 어떻게 불려나갈까?

그동안 미국 백만장자들의 사고방식과 생활패턴을 소개한 책은 꽤 많았다. 그러나 정작 한국의 부자들, 그것도 자수성가한 알부자들에 대해서 알려진 것은 거의 드물다.

한국의 부자들 하면 생각나는 것은 기사가 딸린 고급 승용차에 널찍한 사무실, 사치스런 소비생활 정도가 전부라고 해도 과언이 아닐 것이다.

TV 드라마에서 흔히 볼 수 있는 장면도 마찬가지다. 이탈리아산 소파 주변에 수많은 쇼핑백. 방에서 나온 아들은 어머니를 본 척도 하지 않고 외출한다. 고급 스포츠카를 몰고 나가 유흥업소에서 흥청망청 돈을 뿌린다. 이 시간에 바깥주인은 딴 살림 차린 젊은 여성의 집에서 다이아몬드 반지를 선물로 건네고 있다. 해외여행을 앞둔 딸은 면세점에서 싹쓸이 쇼핑을 하고 있다. 이들은 가족이 아닌 '동거인'처럼 보인다. 이렇게 부자 집안의 사람들은 바람직하지 못한 생활을 한다. 도덕성이라고는 눈을 씻고 보아도 찾을 수 없으며 지극히 이기적이다. 가족 구성원간에 신뢰와 사랑이란 없다. 결국 그 대가를 치른다.

반면 가난하지만 꿋꿋하게 살아가는 사람들에게는 반드시 정의의 법칙이 관철된다. 그래서 드라마를 보는 사람들은 "세상은 공평해"라고 말한다. 부자가 되면 그만한 대가를 치러야 하므로 가난할지언정 지금의 삶에 만족하는 게 최선이라고 믿는다.

드라마가 과연 현실인가?

그렇다면 부자들은 실제로도 드라마에서처럼 물질적으로는 풍요롭지만 정신적으로는 황량한 삶을 살아가고 있을까? 가난한 사람들에게도 TV 드라마와 같은 꿈과 희망이 넘쳐 흐르고 있을까? 그렇다면 돈은 행복과 대척점에 있는가?

드라마가 맞을 수도 있다. 부자가 불행할 수도 있고 빈자가 행복할 수도 있다. 드라마식 표현대로라면 행복은 돈으로 살 수 있는 것이 아니다. 다소 과장될 수는 있겠지만 현실의 반영임은 틀림없다..

　다만 문제는, 현실은 드라마가 아니라는 것이다. 현실에서는 드라마 같은 일이 좀처럼 일어나지 않는다. 부잣집이 콩가루처럼 흩날리는 일은 많지 않다. 가난한 사람들은 열심히 일을 하지만 이들이 생활고에서 벗어날 길은 아득하기만 하다. 돈 많은 사람은 더욱 큰돈을 만지고, 돈 없는 사람은 힘들게 생활을 꾸려간다. 현실은 얼음장처럼 냉정하다. 어쩌면 드라마의 카메라는 자신이 보여주고 싶은 것만을 골라서 우리에게 전달하고 있는지도 모른다. 드라마와는 반대로 가난은 끔찍한 재앙일 수도 있다. 사람에 따라서는 말이다.

한국의 부자 100명이 말하는 부자의 삶
　부자들은 드라마처럼 살고 있지 않았다. 지난 1년 2개월에 걸쳐 한국의 전형적인 자수성가형 부자 143명을 차례로 만나 대화를 나누었다. 질문을 통해 그들의 돈 버는 노하우, 생활방식, 철학 등을 알 수 있었다. 100명의 샘플을 추려 표본으로 활용했다. 물론 중간중간 활용 가능한 자료를 동원했다. 관련 도서에서부터 신문기사, 잡지기사, 증권정보지, 학위논문까지 참고하기도 했다. 그 결과 파악된 부자들의 삶은 드라마와는 상당히 달랐다.

성공이든 실패든 갑작스러운 것은 없었다. 이들에게 삶은 만만치 않은 고난이었고 지금도 각박하다. 부자라고 해서 삶이 안온하며 행복하지만은 않다는 드라마의 주장은 이런 측면에서는 옳다.

많은 재테크 지침서들이 '생각만 바꾸면 부자가 될 수 있다'고 주장한다. 부자가 되는 것이 상상 외로 쉽다는 것이다. 하지만 100명의 부자들은 "생각만으로는 돈을 벌 수 없다"고 말한다. 부자가 되는 과정 역시 고통의 연속이라고 회상한다. 중요한 것은 생각이 아니라 '습관'이며, 숱한 적들과의 투쟁을 거쳐 살아남아야만 부를 축적할 수 있다고 강조한다.

드라마와는 달리, 부자들은 돈을 함부로 쓰지 않았다. 자녀들에게

'왕소금'이라는 투정을 들을 정도로 지출을 엄격히 통제하는 사람들이 많았다. 이들에게도 돈 버는 행위는 고역이었던 것이다. "어렵게 돈을 벌었고, 그것을 지키는 법을 훈련했기에 아직까지는 부자"라는 것이 이들의 한결같은 답변이었다.

부자는 예상외로 많다

100명의 부자들은 우리 주변에서 흔히 볼 수 있는 평범한 사람들이었다. 샐러리맨부터 의사·변호사 등 전문 직업인, 사업가, 자영업자, 주부에 이르기까지 평범한 우리 이웃들의 '부자 노하우'를 집중적으로 취재했다. 이들은 외관상으로 평범해 보였지만, 이들이 재산을 모으는 과정에서 보여준 인내는 결코 평범한 수준이 아니었다.

모두가 재산에 대해 밝히기를 극도로 꺼려했으나 적게는 20억 원에서 최대 1,000억 원 상당의 재산을 가진 것으로 파악됐다. 우리 주변에는 의외로 부자들이 많다. 수백 수천 개가 넘는 우리 동네 4층 이상 빌딩의 주인이 제각각 있다는 사실만 떠올려보자. 증권사 및 은행, 보험사의 영업 담당자들을 통해 이들을 접할 수 있었으며, 일확천금으로 부자가 된 사람은 대상에서 제외했다.

부자 이야기는 결코 남의 이야기가 아니다

지금부터 부자들이 털어놓은 비밀을 엿보기로 하자. 부자를 꿈꾸는 당신은 부자들이 살아온 궤적과 사고방식, 실천 경험을 통해 앞으로 5년, 어쩌면 10년, 20년 후의 자신의 모습을 그려볼 수 있게 될지도 모른다. 부자들과의 대화를 통해 한국 땅에서 부자가 되는 데에는 분명한 길과 방법이 있다는 것을 배울 수 있었다.

다만, 비밀을 접하기 전에 한 가지 준비 자세가 필요하다. 이번만은 남의 얘기로 흘려버리지 않겠다는 각오를 해야 하는 것이다. 여전히 '나와 상관없는 남의 이야기'라고 생각한다면 TV 드라마의 이데올로기에서 결코 벗어나지 못한다. 부자가 되고 싶은 사람은 부자들의 습관을 배우고 따라 하며 차근차근 부자가 될 준비를 해야 할 것이다.

차례

부자들에겐 뭔가 특별한 것이 있다

[부자 마인드]

겨울이 오기 전에 양털을 깎는 이유

"영광의 순간을 경험하고 싶다면 과감해져야 한다.
설령 실패하더라도 어정쩡한 삶을 산 이들보다 훌륭하다."
― 테오도어 루즈벨트 ―

목축업을 많이 하는 뉴질랜드에 가면 겨울이 오기 직전에 양털을 깎는 광경을 볼 수 있다. 의아한 일이다. 여름에 깎는다면 이해가 되는데, 꼭 겨울 직전에야 기계를 들이댄다. 물론 늦가을의 털이 품질이 월등해 내다 팔기 좋다는 이유도 있을 것이다.

그러나 다른 해석도 있다. 그것은 양들의 생명을 보호하기 위해서이다. 털을 깎지 않은 양이 털을 믿고 자만하다가 추운 겨울에 얼어 죽기도 한다. 즉, 털을 깎은 양이 추위를 견디기 위해 부지런히 움직여 목숨을 유지하고 살아남는다는 것이다.

부자들에게서 뉴질랜드의 양과 비슷한 측면을 발견할 수 있다. 그들은 스스로 양털을 깎아 추위라는 위험에 몸을 던진다. 차이가 있다면 양은 겨울이 오기 전에 털을 깎지만, 부자들은 겨울의 말미에 털을 깎는 양상을 보인다는 것이다. 겨울 끝의 봄을 기대하면서 말이다.

부자들의 털깎기는 '빚더미' 라는 위험이다. 부자들은 새로운 기회를 잡기 위해 기꺼이 스스로를 빚의 굴레 속으로 던진다. 많은 재테크 지침서들이 "절대로 빚은 지지 말라"고 권한다. 맞는 말이다. 적어도 봉급 생활자들에게는 그렇다. 월급을 받아 은행 원리금 갚느라 허리가 휘어진다면 투자 밑천을 만드는 데 오랜 시간이 걸릴 수밖에 없다.

그러나 그 단계를 넘어선 사람에게는 다른 원칙이 적용된다. 좋은 기회가 있다면 빚을 내서라도 달려들고, 그 위험을 온몸으로 감수하는 것이다. 부채에 대한 부담감 때문에 힘겨운 생활이 거듭된다. 부자들은 그러나 그 같은 힘겨운 생활이 생활화되어 있는 사람들이다. 그래서 늘 '돈이 없다' 며 아쉬운 소리를 한다.

절대로 빚은 지지 말라고?

이준채 씨는 부동산 개발 기획사업으로 돈을 번 사람이다. 대기업 계열의 건설회사에서 땅을 보러 다니던 그는 IMF 때 실직한 뒤 부동산업에 손을 대 일확천금을 거머쥐었다. 명함을 하나 만들어 '땅 봐주기' 아르바이트를 하던 것에서 아이디어를 찾았다고 한다. 단 3건의 사업이 그에게 수십억 원의 이득을 안겨주었다. 구체적으로 얼마를 투자해 어느 정도를 벌었는지에 대해서는 밝히지 않았다.

그는 빌딩 건설과 분양으로 돈을 벌었는데 사업 방식은 이렇다. 대규모 주택단지가 있거나 혹은 들어설 예정인 동네를 훑다 보면 시세가 다른 곳에 비해 싼 땅이 반드시 있다는 것이 이씨의 주장.

예컨대 100평을 평당 1,000만 원에 샀다고 가정하자. 총 10억 원이 든다(세금 등의 문제는 제외하기로 한다). 자기 돈 4억 원을 선금으로 지급하고, 나머지는 은행대출을 동원하거나 주변 사람들에게 십시일반으로 빌린다. 자기 돈 4억 원으로 10억 원 상당의 자산을 취득한 셈이다. 다만, 땅이 중요하다. 상권과 용도를 분석해 병원(의원급)을 유치할 것인지, 입시학원 등을 끌어들일 것인지 기획해야 한다. 이 부분이 가장 중요하다.

그곳에 8층짜리 건물을 짓기로 한다. 8층짜리 건물을 짓는다면 평당 단가가 8분의 1로 줄어드는 셈이다. 구입 단가가 평당 125만 원으로 둔갑한다. 평당 건축비를 500만 원으로 잡는다면, 완공 후 8층 건물의 평당 원가는 625만 원이 된다.

그런 다음에는 공사비가 문제다. 여기에서는 자금조달 능력과 협상 능력이 함께 필요하다. 마지막까지 감춰두었던 자기 자금을 털거나 부동산을 담보로 대출을 얻어 선금을 지급하고, 일부는 외상으로 돌릴 수도 있다. 협상 여하에 따라서는 일정 시점까지 외상 공사가 가능하다.

그렇게 해서 건물을 올리며 분양을 하는 것이다. 평당 1,000만 원의 가격에 식당이나 병원, 학원 등의 용도에 맞춰 내놓는다. 분양 대금으로 들어온 돈으로 공사비를 지급할 수 있다. 결국 땅을 잘 잡은 뒤, 어떻게 기획하고 마케팅을 하느냐에 성패가 달려 있다. 이런 점에서 아무나 할 만한 사업은 아니다.

평당 1,000만 원씩 8개 층을 모두 분양하고 나면 공사비 등을 제외하고 평당 375만 원의 차익이 발생한다. 평당 375만 원을 100평짜리 8개

층에 곱해보면 이익 규모를 가늠할 수 있다. 30억 원이다. 4억 원으로 시작해 30억 원의 수익을 창출하는 것이다. 물론 그 중간에 들어가는 돈도 감안해야 할 것이다. 은행 돈 6억 원(이자 별도), 사람들에게 빌린 돈, 세금을 내고 나면 최소한 20억 원 상당의 이익이 생긴다.

이준채 씨는 이와 같은 방식으로 상당한 재산을 모을 수 있었다. 털을 깎고 겨울의 한복판에 뛰어들어 당당히 살아남은 양의 모습이다. 부자들은 이처럼 스스로를 궁지로 몰아 극한의 위험 속에서 투자 이익을 거두기도 한다. 하지만 이씨의 방식을 섣불리 따라 하는 것은 위험하다. 최소한 자기 밑천은 뒷받침되어야 한다.

빚도 제대로 활용하라

부자들은 이처럼 겨울 한복판에 스스로 양털을 깎아 추위 앞에 나선다. 추운 겨울, 부산하게 움직여 봄날의 큰 이익을 기대한다.

취재에 응한 100명의 부자들 가운데 18명이 부채를 가지고 있는 것으로 조사됐다. 총 자산의 20% 가량의 빚을 지고 있는 사람이 1명이었고, 나머지 17명은 10% 이내라고 응답했다.

부자들은 가급적 빚을 지지 않는다고 응답했다. 59명이 '절대로 빚은 지지 않는 편'이라고 말했다. 14명은 '급할 때에만 빚을 내는 것이 바람직하다'고 응답했다. 21명은 '빚을 얻어 더 큰 수익을 기대할 수 있다면 과감하게 빌려야 한다'고 얘기했다.

그러나 빚을 낸 적이 없는 사람은 1명도 없었다. '절대로 빚은 지지 않는 편'이라고 응답한 59명은 지금 넉넉하니 남의 돈을 쓰지 않겠다

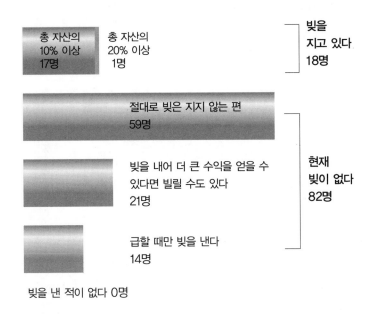

총 자산의 10% 이상 17명 | 총 자산의 20% 이상 1명 — 빚을 지고 있다 18명

절대로 빚은 지지 않는 편 59명

빚을 내어 더 큰 수익을 얻을 수 있다면 빌릴 수도 있다 21명

급할 때만 빚을 낸다 14명 — 현재 빚이 없다 82명

빚을 낸 적이 없다 0명

는 현재의 입장을 이야기한 것뿐이다.

빚을 제대로 활용하는 것도 자산을 늘리기 위한 공격적인 방법 가운데 하나다. 물론 월급만으로 먹고 살기 빠듯한 입장이라면 이런 생각을 하지 않는 것이 좋겠다. 여유 자금이 쌓여 밑천이 형성되면 여기에 부채를 얻어 베팅을 하는 것이 부자들의 속성이다.

경기는 순환된다. 불경기는 겨울처럼 다가오고, 겨울이 지나면 어김없이 봄이 찾아온다. 봄의 화사함을 최대한 만끽하기 위해 한겨울에 털을 깎는 모험을 부자들은 즐기고 있었다.

당신의 팬은 몇 명입니까

"베푼 만큼 돌아온다.
안 돌아와도 어쩔 수 없고."
— 반승섭(육류 유통업) —

돈벌이 전선에 뛰어든 모든 사람들이 귀 기울여야 할 대목이 있다. 영업 마인드에 대한 것이다. 굳이 비즈니스가 아니더라도 영업 마인드를 갖는 것은 대단히 중요하다. 어쩌면 삶이라는 것 자체가 '나 이외의 모든 사람에 대한 영업의 과정' 인지도 모르기 때문이다. 우리가 어떻게 하느냐에 따라 주변의 사람들이 제각각 다른 반응을 보이게 되며, 그 결과는 우리에게 적지 않은 영향으로 되돌아오게 된다.

회사생활을 할 때, 상사나 동료 · 후배들을 상대로 제대로 '영업'을 하지 못한다면 그 결과가 언젠가는 부메랑처럼 나타난다. 구조조정 1순위로 오를 가능성이 높다. 아무 생각 없이 던진 한마디가 상대방에게 비수를 꽂는 일일 수도 있다. 회사 내부에서도 영업력을 발휘한다면 이 같은 실수를 예방할 수 있다. 그래서 모든 사람을 고객으로 삼는다는 자세를 갖는 것이 필요하다.

업무 능력이 다소 떨어져도 내부 영업력이 뛰어나다면, 주변 사람들은 "저 친구는 일을 꽤 잘하고 대인관계도 원만해"라며 후한 점수를 준다. 업무 능력은 영업력(친화력이라는 표현이 더욱 적합하겠지만)에 가려 보이지 않게 되는 것이다. 이런 사람을 욕할 수만은 없다. 내부 영업도 엄연한 영업이기 때문이다. 더구나 금전적인 이해관계가 걸린 일이라면 더욱 그렇다. 그래서 비즈니스의 핵심은 영업이라고 해도 과언이 아니다.

문제는 '영업'이다

컴퓨터의 대명사로 불리는 IBM이 처음부터 세계적인 기업으로 출발한 것은 아니다. 더 좋은 기술을 갖고 있는 컴퓨터 기업도 꽤 많았다. 기술만 놓고 보자면 슈퍼컴퓨터를 생산하던 클레이 같은 회사가 훨씬 낫다. PC만 해도 다른 제품보다 애플의 매킨토시를 더 높게 쳐주는 사람들이 많다. 그러나 IBM은 이런 경쟁사들을 물리치고 컴퓨터 업계의 최고봉에 우뚝 섰다.

IBM 파워의 원동력은 '파란 양복'으로 불리는 이 회사의 영업맨들이다. 지난 1980년대까지 IBM은 영업사원 모두에게 파란 정장과 깔끔한 넥타이를 매도록 요구했는데, 이들이 대형 컴퓨터의 주 수요자인 금융권과 대기업을 문이 닳도록 드나든 통에 "뉴욕 중심가를 걷는 파란 양복은 모두 IBM맨"이라는 우스갯소리가 나오기도 했다.

현재 분양 대행업을 하고 있는 손성필 씨는 중소 제약업체의 영업맨 출신이다. 다년간에 걸쳐 누군가를 만나 아쉬운 소리를 하는 것을 일상생활로 했던 사람이다. 직장에 다닐 때는 물건을 파느라 구두가 닳도록 다녔고, 사업체를 차린 후로는 큰손들에게 부동산을 파느라 전화를 끼고 살았다.

그는 "사람을 처음 만나는 것은 새침데기 처녀에게 연애를 거는 것과 비슷하다"고 귀띔한다.

"콧대 높은 처녀에게 데이트를 하자고 하면 대답이 뻔합니다. '됐다'고 하지요. 잘 모르는 사람에게 접근하는 것도 비슷해요. 상대편은 경계심을 보이면 저를 물건 팔아먹으려는 잡상인으로 생각합니다. 그래서 저는 좀 다르게 접근합니다."

전화를 걸어 "○○님에게 소개를 받았는데 찾아뵙고 싶다"고 말을 건네면 상대방은 십중팔구 만나지 않으려고 발뺌을 한다는 것이 손씨의 경험. 따라서 상대방이 반응할 틈도 주지 않은 채 속사포로 쏟아 붓는다. "저는 화요일 오후와 목요일 오전에 시간이 되는데 편한 시간을 고르시지요"라고 먼저 제안을 하면, 엉겁결에 이 중 하나를 고르거나 다른 날을 제안하는 것이 사람들의 심리다.

손씨의 연애 경험이 풍부한지는 모르겠으나, 아가씨들도 이런 방식에 넘어가 일단 만나주는 경우가 많다고 한다. 만나기 전에 상대방에 대한 정보를 수집하고, 방문해서는 그 사람이 흥미를 갖는 부분에 대해 집중적으로 대화를 나눈다. 호감을 끌어내는 것이다. 사업 목적은 어렴풋이 뉘앙스만을 전달한다. 그런 다음에 헤어지며 다시 약속을 잡는다. "오늘 유익한 말씀 많이 들었는데, 저는 다음주 월요일과 금요일이 비어 있습니다. 다시 뵙지요. 언제로 할까요?"

두 번째 만나 그 사람의 이야기를 들어주다 보면 어느새 거래 이야기가 나오고 계약 문턱까지 도달하게 된다. 까다로운 사람이라도 자꾸 만나서 이야기를 나누는 과정에서 서로를 이해하게 된다는 것이다.

손씨는 "계약이나 결혼이나, 자주 접촉해야 골인하게 된다는 점에서 비슷하다"고 말한다. 그러나 골인이 됐다고 해서 임무가 완수된 것으로 생각하면 큰 오산이라는 게 손씨의 지적이다. 고객 또는 연인에게 끊임없는 애정과 관심을 보여주어야 지속적인 관계를 유지할 수 있다는 것. 이러한 관계가 파탄이 나면 상처를 입게 된다. 손씨는 이런 점에서 비즈니스와 연애가 일맥상통한다고 말한다.

고객이 고객을 몰고 온다

손성필 씨는 주요 고객들의 사무실로 느닷없이 찾아가는 버릇이 있다. 별다른 용무가 없어도 그냥 놀러 가서 잡담을 한다. 그러다가 저녁때가 되면 함께 술을 마시기도 한다. 그의 컴퓨터에는 주요 고객의 신상이 엑셀 파일로 정리되어 있다. 생일을 챙기기 위한 것이라고 한다. 특히 배우자의 생일을 챙기는 데는 귀신이다.

"남성들은 자기 생일을 챙겨주는 것에 대해서는 특별한 감흥이 없는 것 같아요. 오히려 부인 생일 때 꽃다발과 케이크를 보내주면 고맙다고 전화를 하더군요. 그래서 부인 생일을 주로 챙기지요."

이 같은 노력의 결과가 '고객의 열성 팬화 현상'으로 이어졌다. 처음에는 서먹한 관계였던 것이 어느새 친구 정도의 사이로 발전하고, 마침내는 손씨의 사업을 도와주기 위한 자발적인 고객들이 되었다고 한다.

손씨가 새로운 부동산 물건을 따내 몇 명의 고객에게 연락하면 그 고객들이 자기 친구들까지 몰고 오는 경지에 이르게 된 것이다. 주는 만큼 받는 것이다. 손성필 씨가 고객에게 선사한 것은 '관심과 배려'였고, 고객은 그 보답으로 새로운 고객을 발굴해 주었다. 고객들에게 투자 수익을 올리도록 해준 것은 두말할 나위 없다.

이제 막 사회생활을 시작한 직장 초년생이나 자영업을 결심한 사람, 또는 사업을 확대하고자 하는 비즈니스맨이나 다 마찬가지다. 치열한 경쟁을 뚫고 성공에 이르는 첫걸음에는 예외가 없다.

그것은 주변의 단 한 명이라도 자신의 '열성 팬'으로 만드는 것이다. 열성 팬을 위해, 열성 팬과 함께 일을 하는 것은 서로에게 즐거운 일이다. 열성 팬은 더 많은 도움을 주기 위해 노력한다. 굳이 도움을 청하지 않아도 어떤 도움을 줄 것인지 항상 먼저 고민한다. 그런 열성 팬이 한 명이라도 있는지, 다시 한번 생각해 보라.

손성필 씨는 "일부 고객들은 손해를 입기도 했는데, 불가피했다는 점을 그분들이 너그럽게 이해해 주고 또다시 돈을 투자한 경우도 있다"고 말했다. 손씨는 "똑똑한 사람일수록 자기 주변에 적을 만드는 경향이 있는데, 이것은 장기적으로 제 무덤을 파는 것과 다를 바 없다"고 한다. 덤벼오는 적은 물리치되, 굳이 적을 만들기 위해 노력할 필요는 없다는 것이다. 그래서 필요한 것이 영업 마인드라고 그는 강조했다.

부자들은 대부분 뛰어난 영업사원의 기질을 갖고 있었다. 믿을 만한 사람을 얻는 게 중요하다는 점에 거의 모든 부자들은 공감을 표시했다.

no.3 "신용 없으면 장사 못 해요"

"다 때려치우고 장사나 할까 보다."

많은 사람들이 직장 다니는 일이 여의치 않을 때마다 습관처럼 던지는 말이다. 이렇게 한번 말하고는 "아무래도 장사 수완이 없어서"라며 없던 일로 치부해 버리곤 한다. 장사 수완이 문제라는 투다. 하지만 성공한 상인들은 '수완'을 그리 중요하게 생각하지 않는다. 장사 수완보다 중요한 것이 있다면 그건 무엇일까. 바로 성실과 신용이다.

사업 성공의 제1요건은 신용

박경래 씨는 의류와 액세서리 장사로 시작해 큰돈을 번 사람이다. 박 씨는 "항상 남을 즐겁게 해준다는 마음으로 장사를 해야 한다"고 말한다. 그는 "다른 것도 마찬가지겠지만, 장사를 해서 돈을 버는 것은 자기 수양과 다름없다"고 강조한다.

"대학가 근처에서 액세서리 장사를 할 때였어요. 어떤 여학생이 귀걸이를 사 가더니 다음날 와서는 바꿔달라는 겁니다. 그래서 바꿔줬지요. 그랬더니 그 다음날 또 왔더군요. 이번에는 돈을 내달라고 합니다. 속으로는 열불이 나더라고요. 꾹 참고 돈을 내줬지요. 그런 사람이 한둘이 아닙니다. 장사 못 하게 이것저것 만지기만 하다가 그냥 가는 사람도 부지기수고요."

박경래 씨는 그런 일들을 여러 번 겪고 단련이 되어서야 손님이 모여들기 시작했다고 한다. 그가 주변의 다른 상인과 달리 친절하고 성실하게 고객들에게 응한 것이 소문이 나자 여대생들이 가게에 몰려들었던 것이다. 특히 며칠이 지나서 환불을 요구해도 두말 없이 돈을 내주는 파격적인 고객 대접이 그 일대에서는 화젯거리가 되었던 모양이다.

"장사 밑천은 신용입니다. 하자 있는 물건을 한두 번은 팔 수 있지만, 그것이 쌓이면 손님들이 등을 돌립니다. 납품처도 마찬가지예요. 이번 주 안에 돈을 주기로 했으면 그 약속을 지켜야 합니다. 신용을 잃으면 언젠가는 대가를 치르기 마련이니까요."

박씨의 이 같은 태도는 다른 상인들에게서도 확인된다. 얼마 전 서울상공회의소가 남대문과 동대문 등지의 의류 상인들을 대상으로 조사한 결과, 절대 다수가 '사업 성공의 열쇠는 신용'이라고 응답한 것이다.

상공회의소는 상인 225명을 대상으로 설문조사를 실시했는데, 이들 중 74.2%가 성공하기 위한 가장 중요한 요건으로 '신용'을 꼽았다. 반면 '장사 수완'이라는 응답은 15.1%에 불과했고, '재력의 뒷받침'

(4.4%), '장사운' (3.6%) 등은 거의 영향을 미치지 못한다고 응답했다.

그렇다면 다른 사람의 신용을 얻기 위해서는 어떻게 해야 할까. 음식점에서 시작해 성공의 길로 접어든 김대식 씨는 "다른 사람의 입장이 되어 보아야 한다"고 강조한다.

김씨는 한 가지 원칙을 가지고 있었다. '주인이나 종업원이 손님의 눈보다 빨리 움직여야 한다' 는 것이다. 손님이 음식을 먹다가 고개를 들면, 바로 달려가 새로운 주문을 받을 준비가 되어 있어야 한다는 것이다. 이는 조그만 식당을 개업한 이래 김씨 스스로 지켜왔던 원칙이며, 지금도 종업원들에게 수시로 강조한다. 눈만 마주쳐도 손님이 원하는 것을 파악할 수 있어야 한다는 얘기다.

식당에 가면, 보통 주인과 종업원이 새로 들어오는 사람에게만 신경을 쓸 뿐, 앉아 있는 손님은 본 척 만 척하는 경우가 많다. '잡은 고기'라는 생각 때문이다. 한번 들어간 식당에서 다시 나오는 경우는 거의 없다. 그래서인지 물 한잔을 달라고 해도 바쁜 척 못 들은 척하다가 뒤늦게 컵을 들고 오기 일쑤다.

김대식 씨가 서울 중심가에서 운영하는 일본식 돈가스 집에서는 이런 광경을 보기 힘들다. 종업원 수가 넉넉하기 때문이기도 하지만, 무엇보다 손님에 대한 봉사를 강조하기 때문이다. 이들은 손님과 눈이라도 마주치면 곧장 다가간다.

"처음에는 직원들을 교육시키느라 힘들었습니다. 직원 대부분이 아르바이트거든요. 그래서 우두머리 몇 명을 뽑아서 그 직원들을 집중적으로 훈련시켰습니다. 야유회도 같이 가고요. 친절한 직원한테는 보너스도 줬지요. 그렇게 3년 정도 하니까, 이제는 친절이 우리 집 전통이 됐지요."

그가 운영하는 돈가스 집은 손님들로 북적거렸다. 밀려드는 손님을 보며 김씨는 "손님들이 식사하도록 빨리 자리를 비워주자"며 일어났다. 식당 입구에는 대기 의자가 가지런하게 놓여 있었다. 앉아서 잡지를 보고 있는 사람도 눈에 띄었다.

"손님들 입장에서 생각해 봐야 합니다. 기다리는 시간이라도 덜 불편해야 할 것 아니겠습니까. 그래서 번호표를 드리고, 잡지도 비치해 놓는 거죠. 오래 기다리신 분들한테는 디저트라도 드려서 기다려준 것에 대한 보답을 하고 있습니다."

손님이 많이 몰릴 때는 30분을 기다리는 경우도 있다고 한다. 김대식 씨는 "장사하는 입장에서는 별것 아닌 데도 고객 입장에서는 다를 수도 있다"면서 "그런 마음을 잘 읽고 성실하게 손님들을 대한 것이 손님들에게 믿음을 준 것 같다"고 말했다.

스스로 즐겁지 않으면 남을 즐겁게 해줄 수 없다

어찌 보면 대단한 비결로 보이지는 않는다. 남다른 뾰족한 방법이 아니기 때문이다. 그러나 진리는 가까운 곳에 있으며, '평범한 원칙'이 100가지 요령보다 진가를 발휘하는 것이 세상사인 모양이다. 때로는 얄팍한 요령이 먹혀들 때도 있다. 그러나 그 효력은 오래 지속되지 못한다. 그래서 '손님에게 성실히 응하고 믿음을 줘야 한다'는 김씨의 말은 평범하지만, 위력적인 장사 밑천이다.

이제 식당은 더 이상 음식만을 파는 곳이 아닌 것 같다. 총체적인 서비스를 파는 곳으로 변모하고 있다. 지난 1990년대 이후 국내에 상륙한 일부 외국계 음식점이 불황을 타지 않고 성업 중인 이유도 여기에 있다. 다양한 이벤트와 편의 제공을 통해 음식 이외의 만족을 고객들에게 선사한다. 전통적인 음식점들이 외국계 패밀리 레스토랑에 입지를 내주고 있는 것도 이런 변화의 기류에 둔감했기 때문이라는 것이 전문가들의 지적이다.

박경래 씨나 김대식 씨와는 다른 방법으로 부자가 된 사람들도 비슷한 이야기를 했다. '사업 또는 투자 밑천이 없는 사람은 끊임없는 노력을 통해 기회를 만들 수 있다. 반면 신용을 얻지 못한 사람에게는 기회가 오지 않는다'는 것이다. 돈을 잃은 것은 재산의 일부를 날린 것이지만, 신용을 잃은 것은 인생 전체를 날린 것과 다를 바 없다는 따가운 충고다.

박경래 씨는 "남의 돈을 버는 대가는 그만한 즐거움을 주는 일"이라고 말한다. 즐거움과 돈이 등가 교환된다는 의미다. 손님이 마음에 드는 예쁜 옷을 골라 입게 된다면, 손님에게는 즐거운 일이 생기는 것이고 업주는 그 대가로 돈을 번다는 뜻.

박씨는 "스스로 즐겁지 않으면 남을 즐겁게 해줄 수 없다"고 말한다. 남을 즐겁게 해주는 일이 즐겁지 않다면, 굳이 그 일을 할 필요가 없다는 것이 박씨의 생각이다. 부자로서의 인생은 즐거운 마음가짐에서 시작되는 모양이다.

끼·깡·끈·꼴·꿈

> "줄곧 내 인생이 얼마짜리인지 생각해 보았다.
> 혹시 내 귀중한 인생을 허비하고 있는지 마음이 약해질 때마다 인생이란 본전 생각이 난다."
> — 구창범(투자자문사 대표) —

자수성가한 부자의 5가지 덕목

자수성가한 부자들은 어떤 사람들일까? 주변에서 어떤 평가를 받고 있을까? 설종관 씨는 "부자가 되기 위해서는 5가지 덕목이 필요하다"고 말한다. 그것은 '끼·깡·끈·꼴·꿈'이다.

100명의 부자들에게 주변에서 가장 많이 듣는 평가는 무엇인지에 대해 물었다. 이 질문에 대한 답변 가운데 가장 많은 것은 '성실하다'였다. 성실성이 가장 큰 성공 밑천이라는 사실이 다시 한번 드러난 셈이다. 부자들에 대한 주변 사람들의 평가를 설씨의 5가지 덕목에 결합하면 다음과 같은 결과가 나온다.

끼 = 가장 많은 부자들이 '성실성'(74명, 복수 응답)을 꼽았다. 자신이 주변 사람들로부터 '성실하다'는 평가를 주로 받아왔다는 것이다. 성실함은 일종의 '끼'다. '양심적이다'(15명)라는 반응도 같은 부류에 속한다.

이 같은 '끼'는 성공을 향한 작은 싹으로 볼 수 있겠다. 성실한 '끼'가 없는 사람에게는 기회가 오지 않는다는 것이 부자들의 공통된 견해였다. '끼'는 타고나는 것이 아니다. 오랜 시간 단련을 거쳐야만 형성된다. 그래서 '끼'는 노력이다.

부자들은 일확천금을 바라지 않는다. 그렇게 해서 만진 돈이 재산이 되지 않을 것임을 알기 때문이다. 그래서 '기본에 충실하다'(8명). 이들은 "고스톱의 기본은 3점"이라고 말한다. 기본을 무시하고 큰 이익에 집착하면 밑천마저 송두리째 날릴 가능성이 크다고 경고한다.

또한 양심적이지 못한 사람은 성공할 수는 있어도 그때뿐이다. 모두가 등을 돌리고 나면 다시 나락의 길로 빠져들 수밖에 없다. 그래서 양심 또한 부자가 되기 위한 '끼'로 볼 수 있다.

깡 = '맺고 끊는 것이 확실하다'(43명), '과감하다'(28명), '용기가 있다'(15명) 등이 '깡'에 해당한다. 부자들은 자신의 원칙이 깨지는 것을 그 무엇보다 두려워한다.

한 번 원칙을 정하면 그것을 지키는 것을 습관화했기 때문에 목표에 도달할 수 있었다. 원칙과 습관만큼 위력적인 것이 없다. 부자들은 "처음의 원칙과 습관은 남과 조금 다를 뿐이지만, 그것이 쌓이면 하늘과 땅만큼의 격차로 나타나게 되어 있다"고 말한다.

많은 사람들이 원칙을 정한다. 원칙 없이 살아가는 사람은 없다. 다만 작심삼일인지, 평생 신조인지의 차이가 있을 뿐이다. 그 차이가 점차 커지는 것이 인생이라고 부자들은 주장한다. 부자들은 알 수 없는 미래를 두려워한다. 그래서 더욱 원칙에 집착한다.

원칙과 습관은 과감한 베팅(고스톱으로 치자면 '쓰리고')으로 연결된다. 꾸준한 준비가 기회를 낳는 것이다. 그것을 낚아채는 데도 '깡'이 필요하다.

끈 = 사람은 혼자 성공할 수 없다. 거미줄처럼 얽혀 있는 복잡한 사회에서는 다른 사람의 지원과 보탬이 필수적이다. 부자들은 언제라도 남의 도움을 받을 수 있도록 인적 네트워크를 다져놓고 있었다. 인맥 관리는 부자의 필수 요건이다.

'친화력이 뛰어나다'(61명), '사교적이다'(34명)는 응답이 바로 그것이다. 물론 비슷한 말이다. '사람들과 어울려 살아가기'를 즐기며 그 속에서 부를 축적하는 기회를 공유한다는 것이다. 남에게 도움을 받기만 할 수는 없다. 때로는 베풀 줄도 알아야 한다. '인정이 많다'(27명)는 답변 역시 같은 맥락이다. 사회가 고도화될수록 남과 어울리지 못하는 부자가 나올 가능성은 줄어들 것이다.

꼴 = '마흔이 넘으면 자신의 얼굴에 책임을 져야 한다'라는 말이 있다. 철 들어야 한다는 말일 수도 있다. 이를 다른 각도로 풀이하면, 자기 행동대로 얼굴이 형성된다는 것이다. 사기꾼이라고 해서 얼굴에 표시하고 다니는 것은 아니지만, 어느 정도 나이가 들면 그 사람의 이력이 얼굴에 나타난다.

귀족처럼 치장한 사람이나 허름하게 입은 사람이나 부자들에게서는 그들 특유의 기세가 엿보인다. 대체로 표정이 밝았다. '믿음직스럽다' (62명), '솔직하다'(18명), '우직하다'(13명), '자상하다'(5명) 등이 '꼴'에 해당한다.

부자들은 낙관론자다. 만일 이들이 비관론자였다면 자신감 있는 투자와 그에 따른 성공을 기약하지 못했을 것이다. 이들은 밝은 면을 보도록 시야를 넓혔고, 그 같은 노력이 얼굴의 환한 표정으로 굳어졌다. 사람들은 찡그린 사람보다는 환한 사람과 거래하는 것을 좋아한다. 그래서 부자들은 "얄팍한 사람은 크게 성공하기 어렵다"고 말한다.

꿈 = 가장 중요한 대목이다. 부자들은 부를 획득하고 축적하는 것을 간절히 바랐고, 그 간절한 바람은 결국 성공을 가져왔다.

꿈에의 강렬한 집착은 '끼'로 현실화된다. '욕심이 많다'(76명)라는 대목에서 성공을 이루기 전 그들의 모습을 연상할 수 있다. 욕심은 누구에게나 있다. 다만 욕심을 현실에서 이루기 위한 노력에 차이가 있을 뿐이다.

부자들의 꿈은 매우 '열정적이며'(39명), '집요한'(20명) 모습을 가지고 있었다. 또한 그들은 꿈을 이루는 과정을 즐거운 생활로 받아들이고 있었다. '인생을 즐길 줄 안다'(11명)는 것이다. 꿈을 꾸고, 그것을 성취하는 과정이 인생의 낙이라는 시각이다. 이처럼 '꿈'은 인생철학과도 밀접하게 관련된다. 철학이 없어도 부자가 될 수는 있다. 그러나 철학이 없다면 그것을 지키지 못한다.

낙관적인 삶을 고집해야 하는 이유

"나는 일이 안 풀려도 웃는다.
세상을 원망하면 계속 벌을 받을 뿐이다."
— 손길종(대형 음식점 운영) —

지난 1995년 6월, 지옥 문턱에서 살아난 사람이 있다. 당시 20세였던 최 모 씨다. 그는 무너진 삼풍백화점의 잔해 속에 9일이나 깔려 있다가 구조됐다. 생명이 얼마나 질기고 귀중한 것인지 우리에게 일깨워준 사건이었다. 주변에 매몰되어 있던 사람들이 차례로 숨을 거두는 동안에도 최씨는 끝까지 희망을 버리지 않았고, 마침내 구조의 손길을 붙잡았다.

최씨가 지옥의 틈바구니에서 살아난 것에 대해 의사들은 '독특한 성격 때문'이라고 소견을 냈다. 낙천적인 성격이 그의 목숨을 구했다는 것이다. 9일 동안 몇 방울씩 떨어지는 빗물만으로 생명을 유지했다는 사실이 불가사의에 가까운 일이었다. 이때 최씨는 오히려 자신이 알고 있는 모든 노래를 번갈아 부르며 구조를 기다리는 여유까지 부렸다고 한다.

세상은 공평하지 않다

세상이 공평해야 한다고 생각한다면 그것은 오산일 수 있다. 세상은 자신이 원하는 바를 이루어 가는 사람에게만 공평하게 보인다. 그리고 자기 주변의 일들을 뜻대로 이끌어 가는 사람들의 공통점은 '낙관론자'라는 것이다. 이들은 세상이 공평하다고 주장한다. 불만이 없어서가 아니다. 일이 잘 풀릴 것이라는 기대가 크기 때문에 불만을 토로하지 않을 뿐이다.

세상에는 낙관적인 입장이 2가지 있다. 하나는 '눈 가린 낙관론'이고, 다른 하나는 '눈뜬 낙관론'이다.

'눈 가린 낙관론'을 가진 사람은 대개 허황된 꿈을 좇는다. 주변에서 흔히 발견할 수 있는 사람들이다. '이 사업은 삼성전자가 부럽지 않은 아이템'이라고 주장하는 사람들이 대개는 이런 부류다. 중국에서 사업을 추진하겠다는 사람들을 만나다 보면 이런 얘기를 듣게 된다. "중국 인구가 얼마인데요. 팬티 한 장씩만 팔아도 그게 어딥니까?"

이들의 낙관론에는 근거가 없다. 머릿속에 그려진 공상만이 있을 뿐이다. 공상을 실현하기 위해 애를 쓰다가 자꾸 무리를 하게 되고 간혹 사기꾼으로 몰리는 경우도 있다.

반면 '눈뜬 낙관론'에는 공상이 배제되어 있다. 냉혹한 현실에 기반을 둔 가정과 추론, 그런 다음 행동으로 이어진다. 문제는 눈을 뜨는 것이 어렵다는 것에 있다. '눈뜬 낙관론'의 입장을 가지려면 오랜 시간 담금질을 거쳐야 한다. 실패와 좌절을 거듭하며 그 속에서 희망의 줄

기를 어렵사리 찾아나간다. 그것이 낙관의 바탕을 형성하게 된다. 결국 제대로 된 낙관론은 훈련을 통해 만들어진다는 얘기다.

부자는 낙관론자

부자들은 낙관론자였다. 세상과 삶에 대해 긍정적인 시각을 가지고 있었다. '우리 경제가 끝장날 것' 이라는 쇼크가 대다수의 사람들을 휘어잡고 있을 때, 이들은 채권과 주식에 투자했다. '시골 땅 값이 얼마나 오르겠어' 라며 전문가들이 손사래를 칠 때도 이들은 땅을 사들여 기회를 노렸다. 이미 부자라서 그랬을 수도 있다. 그러나 '선택된 일부' 를 제외하고는 태어날 때부터 부자였던 사람은 많지 않다. 허유식 씨의 사례를 통해 낙관론이 어떻게 형성되는지 살펴보자.

허씨는 모 증권사 지점장 출신이다. 증권사에 입사할 때만 해도 '큰 돈을 벌어야겠다' 는 뚜렷한 목표가 있었다. 그러나 19년 동안 두 번에 걸쳐 자살을 결심해야 할 지경으로 몰리게 됐다.

친척과 친구들로부터 거둬들인 돈을 주식 투자로 모조리 날렸을 때,* 수면제를 사다놓고 밤을 새웠다. 사채업자의 신용거래**가 깡통을 차게 된 뒤 미수금을 돌려받기는커녕 자신의 가족이 협박당할 때도 있었다.

"그 추운 겨울에 아파트 옥상에 올라갔더니 별의별 생각이 다 들더군요. 내가 죽으면 일이 다 해결될 것인지, 마누라와 애들은 어떻게 살아갈지. 몇 번이나 뛰어내리려다가 그 자리에 주저앉아서 펑펑 울었습니다. 내 인생이 왜 이 모양이 됐는지 생각하니 억울했죠. 그러다가 '이렇게 죽나 저렇게 죽나 마찬가지'라고 생각했습니다. 죽을 결심까지 했는데 세상에 못 할 게 뭐 있겠느냐는 오기였죠. 그런 생각을 하고 나니까 마음이 후련해지는 것이 날아갈 것 같았어요."

그는 재산을 모두 처분하고 빚을 내 미수금 수억 원을 채워 넣은 뒤 영업에 매달렸다. 위기에서 벗어나는 길은 그것밖에 없다는 생각에서였다.

"참 희한하더군요. 제 돈을 투자할 때는 매일 까먹기만 했는데, 남의 돈으로 굴리니까 수익률이 쏠쏠하더라고요. 돈이 꽤 많은 사람들이 계속 친구들을 소개시켜 주어 고객이 부쩍 늘었습니다. 소문이 나니까 여기저기서 투자자들이 찾아오더군요. 운도 좋았지만, 내 돈이 아니라서 욕심을 버린 것이 그렇게 된 것 같습니다. 또 고수 부자들에게서 많이 배웠지요. 제가 하수라는 것을 그때 처음 알았습니다."

허유식 씨는 "항상 희망에 찬 모습을 보여준 것이 고객들의 신뢰를 얻어 성공적인 영업으로 이어진 것 같다"고 말한다. 대형 고객일수록 지점장의 표정만을 보고도 능력을 귀신처럼 파악한다는 것이 허씨의 분석. 따라서 고객을 잘 이끌기 위해서라도 밝은 표정을 준비해야 하며, 뼛속까지 낙관론으로 무장하지 않는 한 고객의 예리한 눈길을 피하기 어렵다는 것이 그의 경험론이다.

결국 허씨는 주식 투자로 날린 돈을 영업으로 1년 만에 복구하는 데 성공했다. 증권사 영업사원들의 인센티브가 상당하다는 점을 생각해 보면 충분히 가능한 일이다. 허씨와 함께 일하던 직원들 가운데 매년

억대 인센티브를 받는 사람이 2명이었다.

허유식 씨는 2년 전에 은퇴를 했다. 벌어들인 돈을 부동산과 주식에 투자해 평생 쓸 만큼의 재산을 형성해 놓았다. 속칭 '화백'이다. '화려한 백수'. 그가 던진 몇 마디가 이채롭다.

"실패 후에 재기하면서 배운 교훈이 있어요. 세상에 맞서지 말라는 것입니다. 세상과 맞서 싸우려 들면 제풀에 지치게 되고 자포자기하게 됩니다. 어려울 때일수록 긍정적인 사고가 필요합니다. 일종의 자신감이지요. 세상에 쉽고 빠른 길이란 없습니다. 아니, 없다고 생각하는 편이 낫습니다. 그런 방법을 가르쳐주겠다고 하는 사람은 사기꾼이지요."

**Note

*증권사 직원이 본인 명의 또는 타인 명의로 계좌를 계설한 뒤 자기 판단에 따라 매매를 할 경우 위법사항이다. 현행 증권거래법은 증권사 임직원의 주식 직접투자(증권 저축 등 일부 간접 투자는 제외)를 금지하고 있다. 각 증권사도 사내규정을 통해 이 같은 행위를 단속하고 있다. 그러나 증권사 직원들의 관행은 좀처럼 사라지지 않고 있다.

**신용거래 : 증권회사가 고객에게 주식거래 결제를 위한 자금을 빌려주는 것을 말한다. 일정 범위의 증거금을 받고 매수대금 또는 매도증권을 빌려준다.

누구에게나 미래는 두렵다

"집안을 일으킬 아이는 똥을 금처럼 아끼고, 집안을 망칠 아이는 돈을 똥처럼 쓴다."
(成家之兒 惜糞如金, 敗家之兒 用金如糞)
— 명심보감 —

　　박일문 씨는 69세로, 취재 대상 부자 가운데 최고령자였다. 백발의
박일문 씨를 만났을 때 "무엇을 바라고 그렇게 많은 돈을 모으셨나
요?" 하고 물었다. 그는 동문서답을 했다.

　　"나이가 들면 돈이 요리조리 피해 가는 거야. 젊은 양반도 지금부터
돈을 많이 모아. 안 그러면 늙어서 후회해. 돈 없으면 대접받기 힘든 게
세상이라고."

　　박일문 씨는 낡은 점퍼에 10년은 넘게 신었을 것으로 보이는 밤색 구
두 차림이었다. 구두는 군데군데 색이 닳아 얼룩무늬처럼 보였다. 그
가 억대를 호가한다는 벤츠 500에서 내리는 것을 보지 않았다면, 수백
억대 부자라는 사실을 믿지 못했을 것이다.

　　박씨는 '38따라지'라고 자신을 소개했다. 6·25 동란 때 월남해 인천
의 대형 목재공장에서 일을 하며 돈을 모았고, 스스로 목재상을 차려

부자가 되었다. 대개의 이북 출신들이 그렇듯, 북쪽에 있을 때 부잣집의 귀한 아들이었다고 했다.

왜 돈을 버는가

1960~1970년대는 개발의 시절이었다. 당시 가장 장사가 잘된 업종 가운데 하나가 바로 목재업이었다. 지금이야 주요 재벌들이 순위 1위에서 30위까지 독차지하고 있지만, 1970년대까지만 해도 목재회사가 손꼽히는 간판기업 서열에 들기도 했다. 경제가 급성장하면서 건설경기가 흥했던 때였으니 박씨로서는 그 중심에 있었던 셈이다.

그러나 박씨와 앞서거니 뒤서거니 경쟁을 벌이던 목재상 사장들 중에서 상당수는 망했다고 한다. "돈을 흥청망청 쓴 사람도 있고 주제 넘는 짓을 하다가 깡통 찬 사람도 있지. 나야 안 쓰고 모았으니까 지금 이렇게 따뜻한 밥을 먹는 것이지."

박씨를 소개해 준 사람은 한 증권사 지점장이었다. 지난 1990년대 초부터 주식 투자를 해왔다는 박씨는 증권사에서 무시할 수 없는 개인투자자였다. 그런데 그는 예순아홉이라는 나이에도 인터넷을 통해 거래를 하고 있었다. 한동안 증권 투자로 재미를 본 적도 있었는데, 요즘에는 손해를 많이 봤다고 한다. 판단력이 흐려지고 소심해진 탓이란다. 나이가 들면 돈이 붙지 않는다는 말의 의미를 그제야 이해할 수 있었다.

박씨에게 무엇 때문에 그리도 힘들게 돈을 모았는지 물어봤다. "나이 드는 것이 무서웠어. 늙으면 병이 나고 몸 건사하기도 힘들 텐데 어떻게 살아야 하나 생각하다가 그렇게 됐어. 돈 안 모았으면 큰일 날 뻔

했어. 우리 마누라가 몸이 약하거든. 오십 줄 넘긴 이후에는 병을 달고
살아."

나이 드는 것이 두렵다는 말. 나는 과연 자신과 가족의 미래에 대해
얼마나 생각하고 고민해 보았던가. 결국 박일문 씨는 미래에 대한 두
려움 때문에 부자가 될 결심을 한 셈이다. 목재소를 차렸던 시절, 버스
차비 아끼려고 서울 신당동에서 광장동까지 걸어다녔다는 그의 말을
이해할 수 있었다.

미래를 위해 오늘의 만족을 기꺼이 희생했다는 점에서 박씨는 미래
지상주의자다. 그는 이제 살아봐야 얼마 남지 않은 것 같아서 비싼 차
도 타고 손주들에게 용돈도 많이 주면서 인심을 쓰고 있다고 한다.

반면 우리 주변에는 '오늘 지상주의자' 들이 꽤 있다. 지금 당장 어떻
게 사느냐가 가장 중요하다는 시각이다. P씨도 그런 부류다. 증권사에
다니는 그는 매년 휴가철이면 가족과 외국 나들이를 간다. 겨울에는
거의 매주 스키를 타러 다닌다.

전세로 아파트에 살고 있는 것을 보면 부자는 아니다. 그렇다고 가난
한 것도 아니다. 서울 강남의 전셋값이 녹록치 않으니 말이다. 그는 자
동차를 2대 굴린다. 아내가 그의 차를 가져가는 바람에 한 대를 또 구
입했다. 아이를 학교와 학원에 보내기 위해서는 차가 필요하다는 것이
아내의 주장. 동네 엄마들이 그렇게 하니까, 아이 기를 살려주기 위해
서라도 자동차 뒷바라지가 필요하다는 것.

P씨는 '내일의 일은 내일 아침에 생각한다' 는 신념을 가지고 있다.
그런 점에서 그와 아내는 서로 통하는 부분이 많다. P씨를 최근에 만났

을 때 그는 짜증 섞인 얼굴을 하고 있었다. 부모가 터무니없이 손을 벌리는 바람에 골치가 아프다며 투정을 부렸다. 그의 부모가 외국에 있는 친척집을 방문하려 하는데 여행경비를 내라고 했단다.

"나 힘들게 사는 것 뻔히 알면서 왜들 그러시는지 모르겠어. 당신들도 애 키우는 게 얼마나 힘든지 아시면서 왜 자꾸 닦달을 하시는지."

그에게 박일문 씨의 이야기를 들려주었다. 그러자 P씨는 요즘은 세상이 바뀌었다고 항변했다. 월급을 10년 넘도록 모아봐야 아파트 한 채사기 힘든 세상이라고 P씨는 말했다. 부동산 값 상승률이 임금 상승률을 훨씬 넘은 것이 이미 오래 전의 일이며, 반드시 자기 집을 가져야 한다는 것 자체가 낡은 사고라는 것이 그의 주장이었다.

"미국을 보자. 자기 집 사려는 사람이 얼마나 되냐? 전부 월세 얻어 살거나 장기 대부를 끼고 사지. 우리도 패러다임을 바꿔야 해. 너도나도 집만 사려고 하니까 자꾸 부동산 값만 오르고 투기가 기승을 부리는 거야. 그리고 집 사려고 허리띠 졸라매면 애들 학비는 어떡하냐?"

물론 그의 주장에도 일리가 있다. 예전보다 돈 모으기가 어려워졌고, 차라리 그런 걱정을 초월해 오늘을 즐기며 사는 것도 한 방법일 수 있다. 이런 결론 때문인지 고통스럽게 재산을 모으기보다는 좋은 자동차와 여가 활동에 수입의 많은 부분을 할애하는 사람들이 늘고 있다. 어쩌면 세대 차이 때문인지도 모르겠다. 어느 것이 옳은 판단인지는 각자의 선택일 뿐이다. 어느 것이 보람 있는 삶인지는 나중에 스스로 평가할 문제다. 미래가 두렵지 않다는 자신감만 선다면 말이다.

박일문 씨는 돈을 힘들게 모았다는 것을 몇 번이나 강조했다. 그렇게 돈을 모았는데 보람이 있었는지, 자녀들이 아버지가 해준 만큼 보답하고 있는지 궁금했다.

박씨의 대답은 이렇다. "내 자식 고생 안 시키고, 늙은 우리 부부, 자식들에게 의지 안 하면 됐지 뭐. 자식들이야 어디 내 마음대로 되나. 내 욕심만 부리면 항상 부족하지. 내 팔자니까 어쩔 수 없어. 그리고 자식들에게 돌려받을 생각이 있었으면 내가 뭐 하러 고생해서 돈 모았겠어. 다 그렇게 내려주고 가는 거지."

특별할 것은 없지만 박씨의 대답을 들으며 어느 부모의 심정이 이와 크게 다를까 하는 생각이 들었다.

독불장군 부자는 없다

독불장군(獨不將軍)이라는 말이 있다. 사전상의 의미로는 '남의 의견을 묵살하고 저 혼자 모든 일을 처리하는 사람 또는 따돌림을 받는 사람(외톨이)'을 뜻한다. 우리 주변을 돌아보면 무수한 독불장군을 만날 수 있다. 흥미로운 것은 이들 가운데 스스로의 성격 탓에 자발적으로 독불장군의 멍에를 걸머진 사람도 있겠으나, 전혀 그렇지 않은 비자발적인 독불장군 역시 많다는 점이다.

자발적인 독불장군은 다른 사람들과 잘 어울리지 못한다. 때로는 능력이 워낙 걸출해 다른 사람들이 따라가지 못한다는 이유로 독불장군이 되기도 한다. 그러나 칭찬에 인색한 우리 정서에 비춰보면 이런 사람조차 그 능력을 높이 평가받는 경우는 거의 없다. 오히려 다른 사람들에게 방해꾼으로 취급받기 일쑤다. 독특한 성격이나 행실 때문에 비자발적인 독불장군이 된 사람도 마찬가지로 왕따를 당한다. 그래서 독불장군이 성공하는 사례는 드물다.

돈을 집어넣으면 겁난다

"저 사람은 천재야. 혼자서 북 치고 장구 쳐서 성공했다는데"라는 이야기를 간혹 들을 때가 있다. 그럴 때면 그 사람이 거인처럼 느껴진다. 혈혈단신으로 그런 성공을 거두었다는 것만으로도 존경할 만하다.

그런데 조금만 더 생각해 보면 뭔가 이상하다. 무인도에서 사업을 한 것도 아닌데, 어떻게 혼자만의 힘으로 성공할 수 있었겠는가. 성공한 당사자가 조력자의 기록을 지워버렸거나 아니면 주위 사람들이 왜곡했을 가능성이 높다.

정명현 씨는 사무실에서 핀잔을 듣고 있었다. 정씨는 서울 강남 등에 2개의 가구 매장을 운영하고 있었는데, 주로 외국산 고급가구를 수입해 판매하는 일이다. 정씨의 맞은편에 앉아 있는 사람은 그의 친구로 보였다.

"왜 내 말을 안 들어? 그 동네는 절대로 개발이 안 된다니까 그러네. 여길 보라고. 이렇게 4차선이 뚫리면 3배 이상 오른다는데 엉뚱한 걸 산다고 고집을 부리나?"

정씨는 언뜻 보기에도 키가 190cm에 가까운 거구였다. 인상도 선량한 편은 아니었다. 본인의 말대로 영락없는 '산 도적' 스타일이었다. 그런데 맞은편에 앉아 있는 친구는 키가 150cm 조금 넘을까 한 단신에 비쩍 마른 사람이었다. 친구가 언성을 높이는데도 정씨는 꿀 먹은 벙어리처럼 말이 없었다. 이런 부조화가 묘한 분위기를 연출했다.

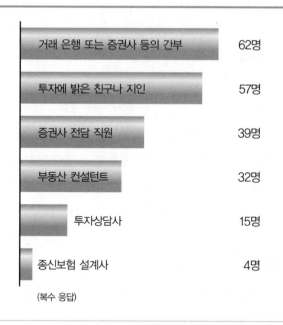

투자 관련해 조언을 구하는 대상

거래 은행 또는 증권사 등의 간부	62명
투자에 밝은 친구나 지인	57명
증권사 전담 직원	39명
부동산 컨설턴트	32명
투자상담사	15명
종신보험 설계사	4명

(복수 응답)

친구가 돌아간 다음에 물어보니 수도권에 땅을 사려고 하는데, 결정을 못 해서 여러 사람들에게 물어보는 중이라고 했다. "그 친구가 많이 도와줬지요. 부동산 중개업을 하는데, 다른 사람들 얘기하고 그 친구 얘기가 많이 달라서 좀더 생각해 봐야겠어요."

정씨가 땅 구입에 쓰려고 마음먹은 자금 규모는 30~35억 원 규모였다. 그 정도면 수도권의 미개발지 가운데 장래성이 보이는 땅을 꽤 규모 있게 구입할 수 있을 것이다. 정씨는 몇 년간 거래해 온 다른 부동산 업자들에게도 의견을 물어볼 생각이라고 말했다. 땅에 대해 잘 몰라서 그런가 했더니, 그것이 아니었다. 정씨는 수년 전에 경기도 용인과 토평 등에 부동산을 사두었다가 상당히 재미를 보았다고 한다. 돌아다니다가 손수 찍은 땅의 수익률이 업자가 추천한 것보다 높았던 경우도 있었다고 한다.

그만큼 부동산에 대해 어느 정도 알고 있는데, 왜 남의 얘기를 경청하는지 궁금해졌다.

"글쎄요. 스무 번이 넘게 땅을 팔고 샀는데도 막상 돈을 집어넣으려면 겁이 나요. 그래서 자꾸 다른 사람들 생각을 듣는 거지요. 이런 생각도 듣고 저런 얘기도 듣다 보면 내가 못 보던 것이 자꾸 보이거든요. 그리고 어쨌든 전문가들이니까 나보다 많이 알기도 하고요."

독불장군 부자는 없다. 부자들은 혼자만의 힘으로 부를 이룩한 것이 아니었다. 다른 사람의 지식과 손을 빌리는 데 주저하지 않는다. 자신이 잘 아는 일이라고 해도, 웬만하면 남의 의견을 들어 요모조모 따진 후에 투자를 결정한다.

부자들은 귀가 크다

100명의 부자 가운데 78명이 투자와 관련해 전문가들에게 조언을 구하는 편이라고 응답했다. 조언을 구하는 전문가 중에서는 거래하고 있는 은행 또는 증권사 간부(지점장 또는 부점장급)가 62표를 얻어 1위로 꼽혔다. 2위는 57표를 얻은 투자에 밝은 친구 또는 지인이었고, 증권사 간부(39표)와 부동산 컨설턴트(32표)가 각각 3, 4위를 차지했다. 투자상담사(15표)와 보험사 컨설턴트(종신보험 설계사, 4표)도 눈에 띈다.

그러나 부자들은 전문가의 조언에 크게 의존하는 것 같지는 않았다.

78명 중에서 전문가의 조언이 큰 도움이 되었다고 답한 사람은 9명에 불과했다. 응답자 중 43명이 '그런 대로 도움이 되었다'고 했고, 별로 큰 도움이 되지 않았다는 사람이 24명이었다.

언뜻 생각하면 이해하기 어려운 일이다. 각 분야 전문가들의 자문을 기꺼이 받으면서도 평가에서는 인색하다면 배은망덕한 것이 아니겠는가.

신종준 씨가 그 궁금증을 풀어주었다. "내가 결정해야 하니까요. 다른 사람들이 내 돈을 책임져주는 것은 아니지요. 사실 증권사 직원이 기술적으로는 저보다 더 많이 알지요. 정보도 많고요. 그런데 그 사람들은 돈을 못 벌어요. 이 사람 저 사람 만나서 얘기를 듣다 보면 기회가 보이는데, 정작 그 전문가란 양반들은 그 기회를 잡지 못하더군요. 가끔씩은 엉뚱한 소리를 하기도 하고, 수수료만 높이려 들기도 하지요. 그러니까 별로 덕을 봤다는 느낌이 들지 않아요."

신씨는 많이 아는 것을 기준으로 부자 순위를 정했다면 1위는 증권사 객장 직원들이 차지했을 것이라면서, "그런 사람들이 가진 정보와 능력을 최대한 활용하기 위해 애를 써야 한다"고 말한다.

어수영 씨는 "돈을 번다는 것은 어차피 사람 장사"라며, "무슨 일을 하든 초기부터 주변에 물어볼 사람이 많아야 기초를 든든히 할 수 있다"고 말한다. 어씨는 세무신고 서류를 정리하고 있었다. 그는 회계사나 세무사에게 일을 맡기더라도 기본은 알아야 일이 제대로 돌아가기 마련이라고 말한다. 비유를 하자면 살림 잘 하는 안주인이 파출부를 제대로 부릴 수 있다는 것이다. 반면 살림에 관심이 없는 안주인들은 아무리 일 잘하는 파출부가 오더라도 소용이 없다고 한다. 보이는 곳은 깨끗할지 몰라도 구석에는 먼지가 수북이 쌓여 있기 마련이라는 것이다.

창작을 하는 사람은 비평가를 싫어한다. 소설가는 물론이고 영화감독, 연예인 등 창작활동을 하는 사람들은 비평가의 사사건건 따지는 말투를 못마땅해한다. 비평가들은 스스로 창조를 하지 않으면서 남의 것에 악평을 서슴지 않는다. 하지만 재미있는 사실이 하나 있다. 경제적으로 성공한 소설가나 영화감독·연예인은 많지만, 부자가 되었다는 평론가는 찾아보기 힘들다.

부자들은 대개 귀가 크다. 남들의 이야기를 귀담아 듣는 경향이 많았다. 신랄한 비평가의 험담도 꺼리지 않는 모습이었다. 비판이나 험담에도 귀를 기울이면서 자신이 포착하지 못한 측면을 받아들이는 진지함을 보여주었다. 이들 주변에도 비평가가 많다고 한다. 부동산이나 주식 등에 대해 해박한 지식을 뽐내면서 그거 무조건 안 되니까 투자하지 말라고 훼방을 놓는 부류다.

재료가 빈궁하면 '우리 형이 그걸 샀다가 망했다, 내 친구가 쪽박을 찼다' 는 등의 얘기를 늘어놓으며 몰아붙인다. 그런데 부자들은 이런 얘기도 열심히 듣는다. 그런 정보를 머리에 입력해 놓았다가 투자에 앞서 꼼꼼하게 짚고 넘어가는 것이다. 세상에 해롭기만 한 비평은 없다는 것을 증명하는 것이다.

"돈은 물과 반대 방향으로 흐른다. 물은 높은 데서 낮은 곳으로 흐르지만 돈은 가난한 사람으로부터 부자에게로 거슬러 올라간다."

— 허유식(전 증권사 지점장, 은퇴) —

잔인한 이야기지만, 부자들이 돈을 버는 것은 돈이 없는 사람들이 많기 때문이다. 부자가 아닌 사람들이 부자에게 수입을 안겨준다.

우리가 가게에서 물건을 사면 그 주인이 돈을 번다. 가게 주인은 건물 주인에게 임대료를 낸다. 우리가 냈던 돈이 결국 부자인 건물주에게 넘어가는 것이다. 가게의 장사가 잘 되든, 잘 되지 않든 가게 주인은 건물주에게 꼬박꼬박 월세를 내야 한다. 부자들은 경제라는 생태계의 꼭대기 부근에 자리잡고 있는 사람들이다.

자연의 이치와 다를 것이 없다. 초식동물은 온순한 대신 소화 효율이 낮다. 그래서 하루 종일 풀을 뜯어먹어야 살 수 있다. 초식동물보다 약간 덩치가 큰 육식동물은 초식동물을 잡아먹는다. 이런 육식동물 역시 효율이 높지는 않다. 매일 몇 끼는 먹어야 산다. 바쁘게 움직여 목구멍을 채우는 신세인 것이다. 그러나 대형 육식동물은 다르다. 게으르기

짝이 없어 보인다. 한 번에 포식을 한다. 낮에는 잠을 자고 빈둥거리다가 밤이 되면 사냥을 한다. 이틀에 한 끼를 먹어도 충분히 산다.

부자들은 맹수

우리 세상의 이치도 그렇다. 가난한 사람일수록 뼈빠지게 일을 해야 한다. 하루 종일 강도 높은 노동을 하지만 돌아오는 것이 별로 없다. 일용직 노동자가 이 범주다. 효율이 낮은 초식동물인 셈이다. 하루 벌어 하루 먹고산다.

그 위에 직장인들이 있다. 한 달 벌어 한 달 먹고산다. 회사에서 쫓겨 나지 않으려고 안간힘을 쓴다. 은행 대출금 갚고 나면 목돈을 모아 이자를 받기도 하고 주식 투자도 해서 가끔씩 재미를 본다. 이들 위에 군림하는 대형 육식동물이 바로 부자들이다. 부자들은 느긋하다. 그들을 배부르게 하는 동물들이 사방에 널려 있기 때문이다. 먹고사는 것 이상으로 벌어들이고 자꾸 돈이 쌓인다.

우리는 은행에서 주택자금을 빌리고, 그 이자를 낸다. 은행은 적정한 이익을 취한 뒤 부자들에게 이자를 지급한다. 은행도 돈을 벌고 부자들도 돈을 번다. 우리가 증시 호황 때 사는 주식 가운데 상당수는 부자들이 판 것이다. 부자들은 싸게 사서 높은 값에 판다. 부자가 아닌 우리는 비싸게 사서 가지고 있다가, 가격이 떨어지면 참지 못하고 매각을 한다. 부자들은 이때를 기다렸다가 다시 싼값에 사들인다.

부자들은 맹수다. 맹수의 가장 쉬운 먹이는 '다친 동물'이다. 부자가 아닌 사람들이 분에 넘치는 생활을 하다가 절뚝거릴 때 부자들은 회심의 미소를 짓고, 신용카드를 긁어 사치품을 구입할 때 부자들은 웃는다. 사치품을 파는 사람들은 부자이고, 그것을 사는 사람들은 대개 월급쟁이다.

보통 사람들 중 일부는 아이들에게 좋은 교육환경을 만들어주겠다는 구실로 빚을 얻어 부자 동네로 이사를 간다. 이 또한 부자들에게 좋은 '돈벌이 기회'를 제공하는 것이다. 은행 대출금에, 아이 학원비에, 부자 동네의 높은 씀씀이에 휩쓸리게 된다. 그러다가 신음을 하면 부자들이 접근해 온다. "집을 파시지요. 후하게 쳐드리리다."

가난한 자의 위기는 부자의 기회

가난한 사람들이 스스로를 지키는 데 실패한다면 곧바로 부자들의 먹이가 된다. 경제라는 생태계에는 피도 눈물도 없다. 집은 압류 당하고, 경매에 부쳐진다. 부자들이 달려들어 그 집을 사들이기 위해 경쟁을 벌인다. 싼값에 집을 인수하고 인테리어를 새로 한 뒤 비싼 값에 팔아 이익을 챙긴다.

가난한 사람들이 은행돈을 빌리고 카드 빚을 내 위기로 몰리면, 그 위기가 부자들에게는 기회가 된다. 대금업을 하는 부자들은 이런 가난한 자들을 환영한다. 대금업자는 높은 이자를 책정해 돈을 내주며 가난한 사람들의 영혼을 저당 잡는다. 은행이나 카드사의 빚 독촉은 견딜 만하지만, 사채업자에게 빌린 돈은 갚지 않고는 버티기 어렵다.

가난한 사람들의 위기와 고통이 부자들에게는 좋은 기회가 되는 것이다. 우리나라만 그런 것이 아니다. 미국의 대기업이 구조조정으로 종업원 1만 명을 해고한다는 발표를 하면 만세를 부르는 사람들이 있다. 그 회사의 주주들이다. 이들에겐 구조조정만한 호재가 없다. 종업원 수를 줄이는 만큼 회사의 수익구조가 개선되므로 주가가 오르는 것은 당연하다. 종업원 임금삭감이나 이익을 내지 못하는 공장폐쇄도 주주들에게 반사이익을 안겨준다.

'우리나라는 부자들만이 살기 좋은 나라' 라는 생각은 투정일 뿐이다. 우리나라만큼 삭막한 자본주의 원칙에서 예외가 많은 곳이 없다. 기업이 인원감축을 결정하려는 순간 노조가 들고 일어나 일사불란한 행동에 돌입한다. 결국 타협을 통해 적정선에서 마무리짓는다. 우리나라에서는 헌법의 상위에 있는 법이 '국민 정서법' 이다. 그래서 미국처럼 칼로 베듯 하지는 못한다. 물론 미국식 구조조정이 바람직하다는 것은 아니다.

부자들이 가난한 사람들로부터 이익을 챙기는 것만은 아니다. 그들은 가난한 사람들에게 돈을 주기도 한다. 직원으로 고용해 월급을 주기도 하고, 큰 기업을 만들거나 건설공사를 발주해 일 자리를 창출하기도 한다. 그러나 전체적으로 놓고 보면 항상 부자가 이기는 게임이다. 가난한 사람들은 부자를 모르지만, 부자는 가난한 사람들을 안다. 겪어보았기 때문이다. 많은 수의 부자들은 월급쟁이로 시작해 엄청난 돈을 벌어들인 사람들이다. 그래서 부자들은 가난한 사람들에 대해 속속들이 다 안다. 그것이 부자를 더욱 부자로 만드는 노하우다.

세상은 '제로섬' 게임이다. 돈을 잃는 사람이 있으면 버는 사람이 있고, 버는 사람이 있으면 반드시 잃는 사람이 있는 것이다. 그래서 가난한 사람들 수중에서 나가는 돈은 대개 부자들에게 전해진다. 하지만 세상 사람들 모두가 부자일 수는 없다. 가난한 사람이 많아야 부자들이 더욱 많은 돈을 벌 수 있기 때문이다. 이 같은 섭리가 적용되어 초식동물은 자꾸 늘어난다. 빈부의 격차가 확대되는 것이다. 하지만 부자가 될 기회는 여전히 많다.

'이미 늦었다' 는 말은 없다

"뉘우치는 정도, 딱 그만큼만 발전한다."
— 이준채(부동산업) —

아는 만큼 돈이 보인다

100명의 부자 가운데 42명이 부자와 그렇지 않은 사람의 차이점에 대해 '돈을 벌 기회를 찾아내는 안목' 이라고 응답했다. 부자는 평범한 샐러리맨이 보지 못하는 것을 본다는 것이다. 그러나 10대에 결심을 했든 아니면 불혹의 나이에 결심을 했든, 그것은 중요치 않다. 세상은 끊임없이 변해간다. 안목 또한 바뀌어야 한다. 따라서 부자 훈련은 지금부터 시작해도 결코 늦지 않다.

건설회사를 운영하는 김대영 씨가 부자가 되겠다는 결심을 굳힌 것은 초등학교 5학년 때였다고 한다. 대전 출신인 그는 비교적 유복한 가정에서 자랐다. 대대로 땅부자 집안이었기 때문에 그것만으로도 남부럽지 않은 생활을 할 수 있었다. 그러나 김대영 씨에게도 선망의 대상이 있었다.

친척 중에 대단한 부자가 있었는데, 그 집에 놀러 갈 때마다 부러움과 시샘을 느껴야만 했다고 한다. "동갑내기 친척 아이가 가지고 노는 장난감이 대단했어요. 아코디언이랑 피아노가 그렇게 부러울 수 없었지요. 기어가 달린 외제 자전거도 그때 처음 봤습니다."

김씨의 집안도 풍족한 편이었으나 그렇게 호사를 부릴 수 있는 정도는 아니었다. 그는 '그 친척집 정도는 살아야 제대로 사는 것'이라고 생각했단다. 그래서 부자가 되기로 결심을 했다. "무엇을 하든 먹고살수야 있겠지만 이왕이면 품위 있게 살고 싶었어요. 싸구려 인생은 살기 싫었던 거죠."

부자가 되는 출발점은 욕심을 부리는 것이다. 욕심을 이뤄내기 위한 집요한 도전이 쌓여 부를 축적하게 된다. 김대영 씨는 대학교 1학년 때 당구장을 경영하기도 했다. 부친에게 빌린 돈으로 대전 중심가에 당구장을 개업해 쏠쏠한 이익을 챙기고 권리금을 붙여 다른 사람에게 넘겼다. 이렇게 모은 돈이 나중에 사업 밑천이 되었다. 대학을 졸업한 그는 대형 건설회사에서 일을 하다가 독립해 자신의 회사를 만들었다.

"건설회사 사장을 하는 것이 어릴 때부터 꿈이었거든요. 그 친척 집안이 유명한 지방 건설사를 하고 있었습니다. 그런데 건설회사를 하려면 미리 준비를 해야겠다 싶어서 대학도 건축학과를 갔고 대기업에서 경험도 쌓은 거죠."

김대영 씨는 지금 서울 강남에 10층 규모 빌딩 2개를 소유하고 있다. 그의 건설회사에서 지은 것이다. 그 중 하나에 입주해 있는 자신의 회

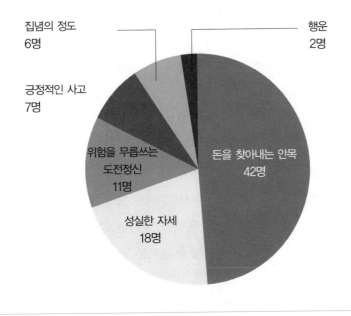

부자와 부자가 아닌 사람의 다른 점

집념의 정도
6명

긍정적인 사고
7명

위험을 무릅쓰는
도전정신
11명

성실한 자세
18명

돈을 찾아내는 안목
42명

행운
2명

사 역시 건물주인 김씨에게 월세를 낸다. 회사는 회사이고, 개인은 개인이다. 계산은 철저해야 한다는 것이 김대영 씨의 지론이다.

'돈맛'은 돈을 벌고 모으는 맛

부자들이 많은 돈을 모을 수 있었던 것은 이들이 다른 사람에 비해 일찍 돈에 눈을 떴기 때문이다. 돈의 필요성을 절실하게 느꼈기 때문에 최대한 많이 벌고 지출은 억제해 밑천을 마련하는 데 성공했다.

흔히들 '돈맛'이라는 말을 자주 하게 된다. 그러나 대다수의 사람에게 돈맛은 '돈을 쓰는 맛' 이다. 반면 부자들은 '돈을 벌고 모으는 맛' 으로 이해한다. 그것이 부자와 그렇지 않은 사람을 가르는 첫 번째 경계선이다.

사람들은 어떤 계기로 '부자가 되겠다' 는 결심을 한다. 확고한 결심을 실천에 옮기기 위해 다양한 노력을 한다. 하지만 대개는 길어야 6개월이다. 본인 스스로가 지친다. '이러다 어느 세월에 1억 원을 모으나' 라며 허탈감에 빠진다. 게다가 주변에 돈 쓸 일이 자꾸 생긴다. 부모는 제주도 여행을 보내달라고 하고, 아이들은 피아노를 사달라며 보챈다. 슬며시 현실과 타협을 하게 된다. '내년부터 모으지 뭐' 라면서.

부자들에게는 이런 일이 없다. 목표를 정하면 집요하게 실천을 한다. 이것이 부자와 그렇지 않은 사람을 가르는 두 번째 경계선이다.

"아버지는 지독한 술주정뱅이었어요. 하루라도 술을 거른 날이 없었습니다. 아침부터 한껏 취해서 어머니에게 매질을 해대곤 했습니다. 그런 지옥이 없었어요. 하루는 장롱 이불 밑에 숨겨놓은 우리들 학비를 가지고 나가셨더군요. 아버지가 그렇게 미울 수 없었습니다. 그러다가 돌아가셨습니다. 아버지가 살아 계실 때 몇 백 번, 몇 천 번 스스로 맹세를 했습니다. 저렇게 살지는 않겠다고요."

입시학원을 운영하는 이계열 씨의 말이다. 한때 교사생활을 했던 그는 '족집게 과외선생' 으로 이름을 날렸다고 했다. 1980년대에도 그는 과외선생을 했다. 정부 시책에 따라 과외가 금지되었던 때였다. 숨어서 하는 '비밀과외' 가 재산을 모으는 데 한몫 했다고 그는 말한다.

"교사생활을 그만둘 때 고통스러웠어요. 동료 선생님들이 '돈 독 오른 놈'이라고 뒤에서 욕하는 것을 들으면서 짐을 쌌어요. 하나도 슬프지 않았어요. 저는 돈을 벌고 싶었으니까요. 세상은 돌고 도는 모양이에요. 나중에 학원을 차렸더니 저를 욕하던 선생이 강사로 채용해 달라면서 찾아왔더군요."

　부자들은 일찍 돈에 눈뜨고, 남들보다 빨리 실천에 옮긴 사람들이다. 그 실천의 와중에서 부자들은 자신들을 위한 기회를 만났다. 기회는 선전포고 없는 전쟁처럼 다가온다. 꾸준하게 총알(현금)을 재어놓고 기다리다 보면 언젠가 전쟁은 터지게 되어 있다. 그 전쟁은 준비하지 않은 사람들에게는 재앙이다. 승리자가 모든 것을 취하기 때문이다.

　남보다 늦었다고 해서 낙담할 일은 아니다. 한때 거부로 꼽히던 M산업의 정 모 회장의 경우 60세가 넘은 나이에 회사를 세워 부호의 반열에 오르기도 했다. 그래서 '이미 늦었다'는 핑계는 통하지 않는다. 부자들은 다만, 우리보다 앞서 시작한 사람들일 뿐이다.

수도꼭지 틀면 나오는 게 월급인가

"세상에 내 일이 아닌 것은 없다. 돈을 버는 데는 무관심이 가장 큰 적이다.
호기심이 많은 사람이 성공한다."
— 손성필(분양 대행업) —

기계부품 회사를 운영하는 송희문 씨는 한 가지 원칙을 가지고 있었다. 되도록 외부 점심 약속을 만들지 않는다는 것이다. 매일 점심을 직원들과 함께 먹는다. 12시가 되면 일제히 지하 구내식당에 내려가 밥을 먹는다.

독특한 것은 사장인 송씨도 줄을 서서 배식을 받는 것이었다. 기름때로 더러워진 젊은 직원들의 점퍼를 툭툭 치면서 "빨아 입으라"는 잔소리도 잊지 않는다. 구내식당의 반찬은 꽤 훌륭했다.

"나가서 사 먹는 밥은 아무래도 부실하지요. 조미료 투성이잖아요. 집에서 먹는 것처럼 해주려고 구내식당을 만들었어요."

구내식당 운영이 회사의 최고 자랑거리인 양 송씨가 환하게 웃으며 말했다. 송씨는 앞자리에 앉은 직원들에게 "감기는 다 나았느냐"는 등의 일상사를 묻기도 하고 뭔가 지시를 내리기도 하면서 15분 가량 식사를 했다. 건물 밖 운동장에서는 현장 직원들이 족구를 하고 있었다. 내기 시합인지 여직원들의 신나는 응원 소리도 들렸다.

사무실로 올라가며 "직원들을 아끼시는 편이네요?" 하고 물어보았다. "글쎄요. 아낀다기보다는 오래 전부터 그렇게 하다 보니 습관이 되었어요"라고 대답한다. "사원들의 눈은 엄격해요"라며, "사장으로서 믿음직스러운 모습을 보여줘야지, 그렇지 못하면 사원들의 눈 밖에 납니다"라고 말한다.

구내식당을 자랑하는 그의 마음을 비로소 읽을 수 있었다. 가족처럼 격의 없는 회사 분위기를 만들고자 하는 것이 그의 목표였던 것이다.

"우리 직원들은 이쪽 분야에서 최고 전문가들이지요. 어디 가도 이런 직원들 못 구해요. 10년 이상 경력자도 많습니다. 직원들의 손이 회사를 이만큼 만들어놓은 것이지요. 사실 저도 설계도만 그려봤지, 공장에서 기계는 못 돌려봤거든요. 남의 손을 빌려 쓰면 고마운 줄 알아야지요."

송씨는 자신의 성공을 직원들의 공으로 돌렸다. 12년 전에 세워진 이 회사는 연간 420억 원 가량의 매출을 올리고 있다. 대기업에 납품을 하면서 성장해 왔는데 최근 들어 일본과 동남아 수출이 부쩍 늘었다고 한다. 송씨는 대기업 연구소에서 프로젝트를 추진하던 중 사업 아이템을 구상해 독립했다.

"남의 손을 쓰려면 투자를 해야 해요. 처음부터 일류 기술자가 어디 있겠어요. 끈기를 가지고 지켜봐야지요. 저로선 좋은 직원들을 만난 것이 행운이었지요."

송희문 씨는 회사 직원들을 자랑스럽게 생각하고 있었다.

그러나 면담이 진행되면서 송씨는 그의 가슴 한구석에 자리잡고 있
던 아쉬움을 털어놓았다.

"전반적으로 만족스럽긴 한데, 사실은 답답한 친구들이 더 많아요.
왜 인생을 그렇게 낭비하는지 모르겠어요. 발전성이라고는 없으
니……."

책임의식이 무엇인지도 모르는 사람이 눈에 거슬린다는 것이었다.
회사 일이라는 게 결국 자신을 위한 것인데도, 소극적으로 시간만 때
우다가 퇴근하는 일부 임직원들을 볼 때마다 안쓰럽다고 한다.

송씨와 이야기를 나누는 와중에도 몇몇 간부가 사장실로 들어와 지
시를 받고 나갔다. 대개는 기계 수리가 늦어지고 있다, 바이어들이 가
격을 2% 깎자고 한다는 등의 문제였다. 이들에게 지시를 하는 송씨의
표정은 별로 유쾌해 보이지 않았다. 그는 인터뷰 말미에 자신이 없으
면 회사가 돌아가지 않을 것 같다는 걱정이 든다고 했다. 웬만한 일은
스스로 책임지고 해결하라고 임원도 시키고, 간부도 만들어놓았는데
이들이 그 책임을 다하지 못한다는 것이었다. 그는 자신과 동료들이
회사를 키웠던 불꽃(열정)이 이제는 상당히 사그라든 것 같다고 했다.

송씨는 동료들과 모은 7,000만 원을 밑천으로 사업을 시작했다. '내
사업'이라는 열정으로 모인 사람들이 밤을 새워가며 사업계획을 만들
고 기계를 발주, 조립하고 터전을 일구는 데 성공했다. 하지만 어느 정

도 성공 문턱에 도달하자 일부 동료가 다른 사업을 하겠다며 떠나갔고, 또 다른 동료는 아이들 교육문제로 이민을 갔다. 결국 다른 사람을 충원해 그 일을 맡길 수밖에 없었다. 역시 '구관이 명관'이라는 말은 틀리지 않은 모양이다. 새로 들어온 사람들에게 이전 동료들의 열정을 기대하는 것은 무리였던 것이다.

스스로 일을 만들기보다는 시키는 일만 잘하면 된다고 생각하는 경향이 뚜렷했다. 송씨는 몇 번이나 이들을 바꾸기 위해 노력했지만 지금은 자포자기 상태라고 말한다. 얼마 전에는 한 간부가 새로운 설비를 도입하는 과정에서 거래처로부터 뇌물을 받은 사실이 밝혀져 사표를 내기도 했다.

"그렇게 살아서 비전이 있을까요? 뇌물로 받은 500만 원이 그 사람한테 큰 도움이 될지 모르겠습니다. 저는 직원들이 독립하겠다면 말리지 않는 사람입니다. 그런데 여기서도 일을 제대로 하지 않은 사람이 나가서 자기 사업은 잘할 수 있을까요?"

대리도 눈높이는 대표이사에 맞춰라

사업체 설립을 통해 성공한 부자들은 "샐러리맨이 성공하려면 일찍부터 경영 마인드를 훈련해야 한다"고 지적했다. 직급이 대리든 부장이든 맡은 업무에서만큼은 자기 스스로가 대표이사라는 생각으로 임해야 한다는 것이다.

'겨우 대리밖에 안 되는 내가 뭘….' 하는 생각을 하게 되면 그것이 자신의 한계로 작용해 결국에는 그 굴레에서 벗어날 수 없다고 부자들은 강조한다. 설령 말단 직급이라도 '내가 대표이사라면 이 상황에서 어떤 결정을 내릴까', '어떻게 하는 것이 회사에 큰 이익이 될까'를 항상 고민하라는 주문이다. 그런 생각과 고민을 자주 하다 보면 경영의 요체를 파악할 수 있다는 것이다.

전자부품 회사를 경영하는 문지형 씨는 "근무시간이나 자기 몫에만 얽매이는 직원들의 공통적인 현상이 수도꼭지만 틀면 월급이 나온다고 착각하는 것"이라며 "사업가로서의 성공 첫걸음은 소극적 마인드를 깨뜨리고 적극적인 자세를 가다듬는 데서 시작한다"고 주장한다.

문씨는 "현재의 직급과 관계없이 항상 눈높이를 대표이사 수준에 맞추는 훈련을 해야 한다"고 말한다. 그것이 자신의 사업을 준비하는 장기적 포석이라는 말이다.

"너희 스스로가 사장이라는 생각을 하라고 하면 싱거운 소리로 넘겨듣고 말아요. 괜히 하는 말이거나 더 많이 부려먹으려고 공치사하는 것처럼 느낍니다. 자기들 골 빼먹으려고 제가 무슨 음모라도 꾸미는 줄 아는 모양이에요. 그런 생각을 타파하려고 소사장 시스템도 도입하고 사내 벤처도 만들어보았는데 소용없더군요. 회사를 이용해서 돈을 벌라는 데도 자기들이 싫다고 하니 어쩌겠습니까?" 송희문 씨의 말이다.

사업으로 성공한 송희문 씨나 문지형 씨의 이야기 중에서 서로 일치하는 부분이 있다. '사장 노릇도 제대로 훈련을 받아야 잘할 수 있다'는 대목이다. 이들은 사업으로 성공하기 위해서는 월급쟁이 시절부터 오랫동안 갈고 닦아야 한다고 말한다.

남의 밑에서 일을 할지라도 그것을 자신의 사업으로 여겨 적극적으로 달려든 사람만이 자기 사업에서 성공할 수 있다는 것이다. 하지만 현실에서는 그런 경우가 많지 않기 때문에 자기 사업으로 성공하는 사람이 적다는 것이 이들의 지적이다.

이들의 주장에 따르면 사업가로서 성공의 싹수는 자기 사업을 시작할 때 되어서야 나타나는 것이 아니다. 성공한 사업가는 샐러리맨 시절부터 남과 다르다.

삼각함수보다 어려운 건 돈 버는 공부

"세상에는 많은 시험이 있다.
그러나 부자는 시험 봐서 되는 게 아니다."
— 문지형(전자부품 회사 사장) —

명문대 입학이 부와 명예를 얻는 지름길인가

우리나라 대학들은 매년 3월이면 취업 통계를 발표한다. 취업이 '하늘의 별 따기'가 된 것이 어제오늘의 이야기가 아닌 이상, 모든 대학이 취업 실적을 높이기 위해 안간힘을 쓴다. 졸업생들이 많이 취업해야 학교의 명예도 높아진다고 생각하기 때문이다.

그런데 이른바 명문대학 졸업자의 취업률이 비명문대보다 항상 낮게 나타난다. 명문대 출신을 좋아하는 우리 사회 심리를 놓고 보면 이해하기 어려운 측면이다. 어째서 이런 결과가 나오는 걸까? 답은 의외로 간단하다. 명문대 출신일수록 까다롭게 직장을 선택한다는 데 있다.

취업 재수를 해서라도 번듯한 직장에 들어가겠다는 의지가 명문대 졸업자에게는 상당히 강하다. "내가 ○○대 출신인데 어떻게 그런 구멍가게 같은 회사에 들어가겠어"라는 식의 자부심 또는 오만함이 명문대 출신 실업자를 양산한다. 하지만 모든 기업이 명문대 출신이라고 해서 쌍수를 들고 환영하는 것은 아니다. 다만 비명문대 출신에 비해 선호도가 높은 것은 부인할 수 없는 사실이다.

학부모들은 자식을 명문대에 보내기 위해 수고를 아끼지 않는다. 매달 수백만 원을 들여가며 과외를 시키고 학원에 보내는 부모가 많다. 이른바 명문대에 들어가면 아이의 인생이 보장될 거라고 생각한다. 정말 그럴까? 명문대에 들어가는 것이 부와 명예를 얻는 지름길일까?

100명의 부자 가운데 4년제 대학을 졸업한 사람은 61명이었다. 그리고 61명 중에서 속칭 명문대를 나온 사람은 8명이었다. 전문 직업인 의사가 3명(한의사 제외), 변호사 1명, 공인회계사 1명, 종신보험 판매간부 1명 등이었다. 나머지 2명 가운데 1명은 대기업 간부였고, 1명은 일찌감치 퇴사해 자신의 회사를 운영하고 있었다.

이 결과를 놓고 보면 애매한 구석이 있다. 전국에 100개가 넘는 대학이 있는 것을 감안할 때 명문대 출신 8명은 많아 보이기도 한다. 물론 표본집단이 잘못되었을 수도 있겠다. 거꾸로 명문대 출신 부자들이 많이 거주하고 있다는 서울, 강남 사람들을 대상으로 한정 했다면 결과가 달라졌을 수도 있다.

하지만 더욱 엄밀하게 따져 보면 100명 중 대학 졸업자가 61명이나 된다는 것도 정확한 조사 결과가 될 수 없다. 부자들을 소개해 준 각 금융기관의 영업 담당자가 비교적 취재가 용이한 사람들만을 골라준 탓이다. 설문에 대해 잘 이해하고 자신의 생각을 표현할 수 있는지의 여부를 선정 기준으로 삼았을 것이다. 30대 후반~50대까지의 자수성가한 부자들을 주된 조사대상으로 결정한 것도 '학력 고도화'를 초래한 요인이다. 이들은 그 이전 세대에 비해서 비교적 풍요로운 시기에 태어나 학교를 다닌 연령층이니 말이다. 조사 대상 중 학력이 가장 낮은 사람은 중학교를 중퇴한 60대 여성이었다.

한 은행 지점장은 "우리가 특별 관리하고 있는 거액 예금자들을 보면 학력이 그리 높지 않다"고 전한다. 학력이 높은 사람도 있지만, 그렇지 않은 사람이 더욱 많다는 것이다. 그는 "학력과 돈 버는 것과는 그다지 연관이 없는 것 같다"고 말했다.

공부 머리와 돈 버는 머리는 다르다

부자들은 "학교 공부하는 머리와 돈 버는 머리는 다르다"고 이야기한다. 실제로 주변을 한번 돌아보자. 고교 시절, 학업에서는 전혀 두각을 드러내지 않던 친구가 지금은 부자가 되어 동창회에 나타난 경우가 적지 않을 것이다. 꼽아 보면 그런 친구들이 예상 외로 많다. 성적이 전부였던 시절, 워낙 특색이 없어 기억에 가물거리는 친구가 고급 승용차를 타고 나와 밥을 사주기도 한다.

우등생은 대충 이렇다. 명문대를 졸업하고 좋은 직장에 잘 다니고 있을 것이다. 그러나 앞으로 그 직장에 몇 년이나 붙어 있게 될지는 아무도 모른다. 걸핏하면 진행되는 구조조정과 감원에 목을 움츠려야 하고, 나이 마흔이 넘어 승진을 하지 못하면 그 자리에서 물러나야 한다. 애들이 한창 자라나 들어갈 돈이 많은 시기에, 실업자 신세가 될지도 모르는 일이다.

이런 악몽을 잊어버리기 위해 열심히 일을 하고 동료들과 경쟁을 하지만 불안감을 떨쳐버릴 수는 없다. 월급만으로 살아가는 삶에는 이처럼 짙은 그늘이 드리워져 있다. 회사는 우리들의 인생을 책임지지 않는다.

이치형 씨는 자신이 명문대 출신은 아니지만, "명문대 출신일수록, 실리보다는 명분과 허영을 좇기 때문에 부자가 될 가능성이 오히려 적다"고 지적한다.

"명문대 출신들은 자기 책상을 소중히 여기는 경향이 커요. 기획관리나 재무 같은 앉은뱅이 업무를 맡으려고 하죠. 회사에서도 되도록 그들에게 그런 자리를 주고요. 그런데 문제는 그런 자리에 앉아 있어 봐야 개인적으로 돈 벌 기회가 없다는 거죠."

학창 시절의 우등생에게는 열등생에 비해 많은 기회가 주어진다. 다만 우등생은 그 기회를 만끽하느라, 또는 높은 연봉을 즐기며 당장의 풍요로운 삶을 누리느라 열등생이 발견하는 기회를 놓치는 경우가 많다.

반면에 비명문대 출신들에게는 상대적으로 적은 기회가 주어진다. 이들 가운데 부자는 그것을 제대로 포착했기 때문에 돈을 벌 수 있었다. 좋은 대학을 나오지 못한 그들에게는 대기업의 '번듯한 명함'을 마련할 방법이 없었다. 그래서 일찌감치 사업전선에 뛰어들었고, 명문대 출신 동창이 고층 빌딩에서 서류를 넘기는 사이에 시장 바닥을 전전해야 했다. 더 이상 물러날 곳이 없는 상황이 되어서야 굳은 각오를 할 수 있다. 굳은 각오는 자신의 모든 것을 위험에 던지게 한다. 위험이 높은 투자일수록 성공의 열매는 큰 법이다.

많이 배우지 못했다고 해서 주눅들 이유가 전혀 없다. 명문대 출신 엘리트도 돈을 버는 공부는 따로 해야 하기 때문이다. 그 공부는 영어 단어를 외우는 것이나 복잡한 고등수학 문제를 푸는 것과는 차원이 다르다. 앉아서 하는 공부가 아니라, 뛰면서 하는 인생 공부이기 때문이다. 부자들은 뛰어난 두뇌의 소유자들이다. 돈을 버는 것은 삼각함수 문제를 다루는 것보다 훨씬 어렵고 심오한 공부다.

No.12 돈 자랑 하지 마라

"有不知則有知, 無不知則無知" (모르는 것이 있으면 아는 것이 있기 마련이고, 모르는
것이 없으면 아는 것이 없기 마련이다.)
— 왕부지(王夫之, 명말청초 사상가) —

사람들이 모이는 곳에 가면 어김없이 세 부류의 사람이 등장한다. 명절을 맞이한 친척 모임이나, 오랜만에 만난 동창회 등에서 역력히 나타난다. 하나는 연신 자기자랑을 하는 스타일이고, 또 하나는 그 자랑을 들으며 속상해하는 부류다. 마지막으로 남의 얘기만 열심히 듣는 사람들이다.

첫 번째 부류의 사람들을 보면 자랑거리와 스타일이 다양하다. "남편이 한 달에 1,000만 원밖에 못 벌어오기 때문에 남들 보기에 창피하다"고 말하는 사람도 있고, "아이가 미국 사립학교에 유학 갔는데 1년에 5,000만 원밖에 안 든다"면서 자녀 유학을 권하는 가장도 눈에 띈다. "고급 승용차를 뽑았는데 역시 국산차는 믿을 게 못 돼"라며 "너희 차는 뭐냐"고 묻는 사람도 있다. 그러다가 자랑의 초점이 자녀에게 맞춰

진다. 아이에게 얼마나 많은 돈을 쏟아 붓고 있고, 기대에 어긋나지 않게 훌륭하게 자랐다는 말을 늘어놓는다. 해외연수니 유학이니 하는 것이 단골 메뉴가 된다.

재산이 많지 않은 사람이라면 자식 자랑밖에 할 게 없다. '효도'와 '우애'가 최고의 덕목으로 등장한다. 특히 예순을 넘은 부모의 경우 자식이 유일한 방패막이다. 우리 사회에서 '돈 자랑 공세'에 맞설 수 있는 수단은 '자식 농사' 밖에 없다. 연일 사고를 치는 아들과 싸움닭 며느리가 문중 최고의 효자와 효부로 윤색되기도 한다.

두 번째 부류를 보자. 입심이 세지 않거나 거짓말을 못 하는 사람이라면 이 같은 '자랑 퍼레이드' 앞에 기가 꺾이게 마련이다. 많은 사람들이 명절 시즌만 되면 두통을 호소한다. 명절 준비 탓도 있겠으나, 일부 친척들의 자랑 공세에 버틸 재간이 없기 때문이기도 하다.

동창회에 나갔다가 속이 뒤집어져 돌아오는 여성들이 적지 않다. 학창 시절, 자신보다 못 하다고 생각했던 친구가 부잣집 사모님이 되어 나타난 것을 보면 속이 부글부글 끓는다고 한다. 그런 친구가 자랑을 할 때는 질투심이 머리끝까지 치밀어 오르고, 마침내 '에고, 내 팔자야'라는 식의 신세 타령으로 이어진다. 그런 날은 부부싸움이 일어날 가능성이 높다.

이는 남성들도 마찬가지다. 모처럼 만난 옛 친구가 고급 승용차에서 내리는 광경을 보거나 자식 농사를 잘 지었다는 이야기를 듣게 되면 자신의 신세가 처량하게 느껴지게 마련이다.

옛 친구나 친척을 만나는 일이 즐거워야 하지만, 그 즐거움은 상대방의 연이은 자랑과 그 이후 자신의 왜소함을 느끼며 연기처럼 사라지고 만다. 이러다 보면 사람 만나는 일이 곧바로 스트레스로 작용한다.

마지막 부류는 '알부자들'에게서 많이 발견된다. 부자들은 좀처럼 자랑을 하지 않는다. 이 사람들은 남이 돈 자랑을 할 때도 별로 개의치 않는다. 자신이 얼마나 많이 벌었는지에 대해 떠드는 일도 없다. 오히려 자신이 부자라는 사실을 남들이 아는 것을 꺼리는 경향이 있다.

함윤열 씨는 "내가 잘 산다고 광고를 해봐야 성가신 일만 많은데다 사실상 별로 부자도 아니라서 자랑할 것이 없다"고 말한다. 그의 재산은 80억 원 정도. 물론 이는 함씨가 세금을 내는 기준으로 계산해 본 것이다. 실제로는 100억 원이 넘을 것이다. 그런 함씨가 "돈 자랑 할 것이 없다"고 말한다.

함씨는 "나도 처음에 돈을 좀 모았을 때는 호기도 부리면서 자랑을 했는데, 몇 번 실패를 겪다 보니까 세상을 보는 눈이 달라졌다"고 덧붙였다.

한의사 채종훈 씨는 "돈은 남들이 보지 못하는 곳에서 조용하게 버는 것이므로 떠들면 와야 할 돈도 오지 않는다"면서, "번지르르하고 시끄러운 사람치고 진짜 부자는 거의 없다"고 잘라 말한다.

돈을 번다는 것은 남이 발견하지 못한 기회를 먼저 찾아내는 것인데, 그런 비밀을 떠들어댈 사람이 어디 있겠느냐는 것이다. 그는 "자랑을 많이 하는 사람은 둘 중 하나라고 보면 틀림없다"고 말한다. 하나는 분수 이상의 생활을 하는 쪽이고, 다른 하나는 사실을 감추고 있다는 것이다.

채씨는 "부자는 허위의식을 버리는 것에서 출발한다"고 조언한다. 남들 앞에서 자랑을 하기 위해 돈을 버는 것이 아니며, 남들의 허세를 그대로 받아들여서는 안 된다는 것이다. 그는 자기 친척 중에서도 아이들 과외비로 한 달에 200만 원을 쓴다고 자랑하는 사람이 있는데, 알고 보니 월세 아파트에 살고 있었다면서 자기 중심을 잃으면 언젠가 그 대가를 치른다고 경고했다.

부자들은 "스스로를 치켜세우는 사람들의 자랑에는 반드시 거품이 있게 마련"이라며, "겸손한 자세를 유지해야 돈이 모이고, 돈을 벌 수 있는 기회도 생긴다"고 말한다. 다만 이들에게도 자식 자랑은 어쩔 수 없는 모양이다. 일부는 침이 마르게 아들 딸 자랑을 했다.

뒤늦게 깨달은 사실이지만, 지난 1년간 만난 100명이 넘는 부자들 중에서 돈 자랑을 하는 사람은 본 적이 없다. 부자로서의 생활이 몸에 배면 굳이 자랑을 할 필요가 없을 것 같기도 하다. 남들이 돈 자랑을 할 때, 가만히 앉아 있어도 자신이 부자라는 사실에는 변함이 없으니 말이다. 자식 자랑도 마찬가지다. 효자는 굳이 남들에게 자랑을 하지 않아도 효자다.

함윤열 씨는 "너무 뻐기면 손해를 봐요. 평소에 돈이 많다고 자랑을 하니까 친척이나 친구들이 도와달라고 찾아오는데 발뺌을 하기가 힘들어요. 있는 듯 없는 듯 조용하게 살아가는 게 제일 좋은 방법이죠. 빈 수레가 요란한 법이죠"라며 돈 자랑을 하면 오히려 번거로운 일만 생긴다고 한다.

자기 원칙을 칼처럼 적용하는 사람이 부자

"돈은 기회다. 여러 기회를 제공한다.
사람에 따라 기회가 많고 적을 뿐이다."
— 권영주(의류업) —

엄철용 씨의 사무실을 방문한 것은 오전 11시가 조금 넘어서였다. 그러나 사무실에는 아무도 없었다. 약속 시간을 지키지 못한 것 때문이 아닌가 걱정이 되었다. 그러나 가장 안쪽에 있는 방에서 나온 호통소리를 듣고 안심을 했다. 누군가를 심하게 다그치는 소리였다.

엄철용 씨는 건물주다. 12층 규모 그의 빌딩에는 병원부터 벤처기업, 다단계 판매업체에 이르기까지 다양한 사무실이 입주해 있다. 10분 가량 서서 기다리는데, 방에서 3명의 직원이 나왔다. 표정이 부어 있는 것으로 보아 엄씨에게 꾸지람을 들은 것이 분명했다.

엄씨에게 그 이유를 넌지시 물어보았다.

"직원들을 혼내시던데 무엇 때문인가요?" 엄씨는 분을 삭이지 못한 듯 역정을 감추지 못한 채, "아, 월급 받으면서 제대로 하는 일이 있어야지. 우리가 자선사업을 하는 것도 아닌데 월세도 안 받고 뭐 하는 건지 모르겠어." 하고 말했다.

3층 구석에 세 들어 있는 회사가 월세를 내지 않는다는 것이었다. 지난달에도 지급일을 어겼는데, 이번에도 기한을 넘겼으니 단단히 조치를 취해야 한다는 것이다.

"월세가 얼마인데요?"

"220만 원밖에 안 돼요. 그것도 못 내면서 무슨 회사를 한다는 건지 모르겠어요."

"요즘 벤처기업들이 어렵다는데 며칠 밀렸다고 그렇게 몰아붙이는 것은 너무한 것 아니세요? 220만 원밖에 안 된다면 좀 기다려줄 수도 있잖아요?"

이 말이 엄씨를 자극한 모양이었다. 그는 얼굴을 붉히면서 모르는 소리라고 언성을 높였다.

"220만 원 안 받는다고 내가 굶어 죽는 건 아니지요. 그래도 말일에 월세를 낸다고 계약을 했으면 지켜야지요. 건물주는 월세를 받아야 하고요. 약속은 지키라고 있는 것 아닙니까? 원칙대로 해야죠."

받을 돈은 빨리 받고 줄 돈은 늦게 주는 원칙

여기서 엄씨의 '원칙론' 강의가 시작됐다. 그는 월세가 밀린 것을 알고 나면 잠을 못 잔다고 했다. 백억대 부자가 월세 몇 푼에 전전긍긍하는 것이다. 하지만 그런 데에는 다 이유가 있는 법. 그는 돈이 중요한 게 아니라 원칙이 중요하다고 했다. 원칙을 한 번 어기면 다음 번에 바로잡을 수는 있다. 누구나 한번쯤은 실수할 수도 있다. 하지만 다시 한 번 원칙을 어기게 되면 그 이후부터는 걷잡을 수 없다는 것이 엄씨의 원칙론이었다.

"입주 회사 형편이 좋지 않다는데 저로서도 딱하지요. 그렇지만 월세는 내야 합니다. 월세를 낼 능력이 없으면 사무실을 비워주고 이사를 가야 합니다. 그 회사만 봐줄 수는 없어요. 그런 걸 다른 입주자가 알아봐요. 다들 핑계대면서 월세 안 냅니다. 내가 먼저 원칙을 지켜야 입주자들도 원칙을 따르지요."

엄씨의 말에 일리가 있다는 생각이 들었다. 그러나 취재를 하면서 이러한 원칙이 그가 들려준 '돈 관리 노하우'와는 상반된 주장이라는 점을 발견했다. 엄씨는 "받을 돈은 빨리 받고, 줘야 할 돈은 어떻게든 차일피일 미뤄서 늦게 준다"고 한 것. 그래서 바로 반박했다. "줄 돈은 최대한 미뤄왔다고 말씀을 하셨는데요. 줄 사람이나 받을 사람이나 약속을 지켜야 한다는 것과는 모순된 말이 아닌가요?"

엄씨는 겸연쩍은 듯 웃더니 "사실은 그것이 나의 원칙"이라고 했다. 원칙을 자기 편한 대로 적용하는 셈이다.

그는 임대 보증금도 입주자가 사무실을 완전히 비운 뒤에 점검을 하고 내준다고 한다. 사무실을 원래 상태로 돌려놓지 않거나 훼손된 것이 발견되면 하자 보수를 해줄 때까지 보증금을 돌려주지 않는다는 것이다. 그것 역시 엄씨의 원칙이었다. 지독하지만 당하는 사람의 입장에서는 어쩔 수 없는 노릇이다. 계약서에 따르면 그것이 원칙이기 때문이다.

돈이 곧 원칙이며, 원칙은 부자의 편

엄씨를 만난 뒤 찾아간 사람은 김인철 씨였다. 이비인후과 의사인 김씨 소유의 빌딩은 한마디로 '병원 타운'이었다. 내과와 외과, 치과, 안과에 이르기까지 온갖 병원이 세 들어 있었다.

이야기를 나누다가 오전에 만났던 엄씨 얘기를 꺼냈다. "돈을 버는 것도 좋지만 너무 지독한 것 아니냐"고 화두를 던졌다. 그런데 온화하게 생긴 김씨의 반응이 놀라왔다. "당연한 것 아니냐. 내 원칙도 그렇다"는 것이었다. 그는 "정도의 차이는 있겠지만, 돈 있는 사람들의 속성이 대개 그렇다고 보면 된다"고 말했다.

김씨는 기업에 빗대 그 원칙을 옹호하는 논리를 구사했다. "대기업이 중소기업들에게 어음을 끊어주는 이유가 뭔지 아느냐"는 것이었다. 대기업이 돈이 없어서 어음을 끊어주는 것이 아니라는 주장이다.

"생각을 해보세요. 대기업이 그럴 돈이 없겠어요. 어음이 편해서 그럴까요. 천만의 말씀이죠. 현금 흐름을 확보하려고 그러는 겁니다. 최대한 많은 현금을 챙겨놓고 싶은 것이지요. 부자들도 마찬가지입니다."

김씨의 이야기가 전혀 근거 없는 억지는 아닌 것 같았다. 그 후로 만난 부자들에게 여러 번에 걸쳐 확인을 했으나, 그때마다 돌아오는 답변은 한결같았다. 빤한 것을 왜 이상하게 생각하느냐는 투였다. 집주인에게 두 달치 월세를 미리 내기도 하고, 전세금 올려달라고 할 때마다 성실하게 맞춰주는 보통 사람들로서는 상상하기 어려운 사고방식이다.

더구나 대기업의 어음 결제는 횡포임에 틀림없다. 현금을 쌓아놓고도 6개월짜리 어음을 내주는 것은 중소기업에게 피해를 주는 행위다. 은행에서 어음을 할인 받을 때 손해를 보기 때문이다. 그런 대기업이 무너지면 거래를 하던 중소기업들이 줄줄이 부도를 낸다. 어음이 연쇄 부도의 도화선으로 작용하는 것이다. 멀쩡한 중소기업까지 다치게 된다.

김인철 씨는 "자기 원칙을 칼처럼 적용하는 사람이 부자"라고 말했다. 스스로 원칙을 잘 지켰기 때문에 돈을 모았고, 그것으로 투자를 해서 부자가 된다는 것이었다. '받을 것은 빨리 받고, 줘야 할 돈은 미루는 것' 역시 중요한 원칙 중의 하나라고 강조한다. 김씨는 부자가 될수록 '빨리 받고 늦게 주는' 원칙을 적용할 기회가 많아진다고 덧붙였다.

한마디로 '돈이 곧 원칙이며, 원칙은 부자의 편'이라는 주장이다. 그래서 부자들은 원칙주의자라는 것. 김인철 씨는 "모든 계약서는 부자들에게 유리하도록 작성된다"면서 "돈을 모아 부자가 되는 과정에서 그 위력을 배우게 된다"고 설명했다. 대개의 경우, 돈을 쥔 사람이 협상에서 우위를 점하게 된다.

부자들은 모두 비슷하다. 받을 돈은 빨리 받고, 내줄 돈은 질리도록 미룬다. 돈을 한푼이라도 더 많이, 더 오래 갖고 있기 위해 안간힘을 쓴다. 이런 원칙이 습관으로 몸에 배어 있다. 이것이 권장할 만한 습관인지에 대해서는 여전히 의구심이 남는다. 그러나 어쨌든 현실은 그렇다.

부자는 기회를 놓치지 않는다

30대 후반에 부자가 된 변경섭 씨의 경우를 보자. 40대 후반인 그는 절반은 은퇴한 상태다. 친구가 경영하는 회사에 출근해 일을 도와주고 있다. 20년 전, 직장에 다닐 때 변경섭 씨는 시급하게 목돈을 마련해야 할 일이 있었다. 변씨가 다니던 회사는 대기업에 부품을 대는 중견 업체였는데, 원재료 담당 주임이었던 그는 회사 안에서 '은밀한 기회'를 찾아내고, 돈을 모으기 시작했다. 빨리 돈을 모으지 않으면 그 기회를 잃을지도 모른다는 생각에서였다.

변씨의 회사는 대기업에 부품을 납품하고 어음을 받았다. 그리고 나서는 재료공급 업체에 만기가 더욱 긴 어음으로 대금을 결제했다. 해당 업체 입장에서는 횡포였지만, 어쩔 수 없었다. 당시의 관례가 그랬다. 변씨는 재료공급 업체들이 서울 명동의 사채업자에게 어음을 할인받는다는 사실을 알게 되었다.

사채업자는 만기 전의 어음을 넘겨받으면서 일정액을 제하고 돈을 내준다. 결제일이 돌아올 때까지의 위험을 감수하는 대신 그 차액을 챙기는 셈이다. 은행 이자와는 비교할 수도 없을 만큼 높은 수익률이었다.

"이름 없는 중소기업이라 할인율이 높았습니다. 뒤집어 얘기하면 어음 인수자의 수익률이 높다는 말이지요. 그런데 저는 그 회사를 다니면서 웬만하면 부도날 일이 없을 거라는 확신을 가졌거든요. 재무구조가 아주 튼튼했습니다. '목돈을 만들어 그 어음을 내가 사야겠구나.' 하고 결심했습니다."

변씨는 수년 만에 5,000만 원을 모으는 데 성공했다. 그리고 명동의 한 사채업자와 밀약을 맺었다. 재료공급 업체에게 그곳에서 어음을 할인 받도록 하고, 최종적으로 변씨가 이를 인수했다. 처음에는 건당 3,000만 원 정도였던 어음 인수 규모가 억 단위로 늘어나는 데는 2년이 채 걸리지 않았다. 어음을 가지고 있다가 만기가 돌아오면 돈을 회수했다.

굴리는 돈이 3억 원을 넘자 자신이 알 만한 업체가 발행한 어음까지 사들이기 시작했다. 모르는 회사의 어음은 거들떠보지도 않았다.

"지금 생각하면 좀 창피합니다. 떳떳한 일은 아니니까요. 하지만 그렇게 안 했다면 저는 여전히 창고지기 신세였을 겁니다. 회사 사람들이 나중에 알고 '기회주의자'라고 욕을 했다고 하더군요. 그런 기회를 이용하지 못한 사람이 바보죠. 저도 그 밑천 만드느라 고생 많이 했어요."

칭송 받고 살려면 부자 될 생각 마라

공인회계사 이준수 씨는 벤처 투자로 평생 쓰고도 남을 만큼의 재산을 벌었다. 서울 강남 지역에서 회계사무소를 운영해 온 이씨는 1995년부터 벤처업체들의 기장 업무 대행이나 회계 자문을 해주면서 기업들과 인연을 쌓았다. 이씨는 자신을 '벤처업계의 샤일록*'이라고 소개했다.

당시에는 '벤처'라는 말이 낯선 때였고, 신생 정보기술(IT) 업체들은 만성적인 자금난에 허덕이고 있었다. 담보가 없으니 은행돈을 쓸 수도 없었다. 이씨는 고객사들이 급전이 필요할 때마다 돈을 융통해 주었다. 은행 이자보다 조금 높은 수준의 이자를 받기로 했다. 그런데도 이자를 제때 내는 업체가 많지 않았다.

IMF 때는 그 양상이 더욱 심각했다. 이준수 씨가 업계에 깔아놓은 돈은 총 1억 원 정도였다.

그러다 몇몇 기업이 이씨에게 돈을 못 갚겠으니 주식으로 가져가라고 제안을 했다. 회계 업무를 맡은 기업들을 자주 다니다 보면 '싹수'를 볼 수 있다고 한다. 이씨는 그런 기업들의 주식만을 골라 액면가에 인수를 했다.

"대단한 분석기법이란 게 있겠어요. 사장이나 직원들이 열심히 하는 회사가 잘되는 거죠."

벤처 투자 열풍이 일어난 1999년 후반기부터 2000년까지 이준수 씨는 자신이 보유하고 있던 주식을 단계적으로 장외에서 처분했고, 수십억 원을 벌었다. 투자를 받은 해당 기업의 사장이 높은 가격에 다시 사 간 경우도 있었다.

이준수 씨는 처음에는 돈놀이로 시작했을 뿐이라고 했다. 신용이 있는 젊은 사람들이라서 원금을 떼이지는 않을 것 같아 빌려주었는데, 그것이 주식으로 바뀌게 될 줄은 몰랐다고 한다. 기업들은 주식을 넘기면서 액면가의 1.3~3배의 가격을 쳐달라고 요구했으나 이씨는 거절했다.

"어차피 협상 주도권이 나한테 있는데 호락호락 넘어갈 수는 없는 노릇이죠. 단돈 2,000만 원도 못 갚으면서 두 배고 세 배고 요구할 수 있겠어요. 싹 무시하고 액면가에 받았습니다. 그 사람들은 약점이 많으니까 저한테 싫은 소리도 못 하더군요. 기장 수수료도 몇 달 밀린 상태였거든요."

기업들은 이후 벤처 투자자들에게 10배, 20배의 가격 조건에 주식을 넘기고 자금을 끌어들였는데, 이씨에 대해 "헐값에 주식을 강탈해 간 도둑심보"라고 욕을 했다고 한다. 하지만 당사자는 전혀 개의치 않았다.

"부자가 되려면 먼저 철저한 기회주의자가 되어야 합니다. 한 번 기회를 잡으면 최대한 자신에게 유리하게 활용해야 해요. 어영부영하다가는 당하고 맙니다. 사람들한테 칭송 받고 살려면 부자가 될 생각을 버려야죠. 세상에 돈 많이 벌면서 존경도 받는 일은 없거든요. 돈을 많이 번 다음에야 자선사업을 할 수도 있겠지만 벌 때는 그렇게 못 해요."

**Note

*샤일록 : 셰익스피어의 「베니스의 상인」에 나오는 악덕 고리대금업자.

부지런함이라는 원칙

"재미를 붙여야 새벽에 눈이 떠진다.
습관이 되면 삶에 힘이 붙는다."
— 신태준(자동차 부품회사 경영) —

이치형 씨는 우리말 외에 4개 국어에 능통하며, 최고급 영어를 구사
한다. 이탈리아어도 수준급이고, 프랑스어는 어느 정도 의사소통을 할
수 있을 정도로 실력을 갖추었다. 일어도 꽤 잘한다.

외교관 또는 해외 주재원 자녀들이 대개 여러 외국어에 능통한 편인
데, 이들은 부모를 따라 각국을 다니면서 자연스럽게 외국어 실력이
쌓인 경우가 많다. 그러나 이치형 씨는 이런 케이스가 아니다. 또한 대
단한 학벌을 자랑하는 엘리트도 아니다.

그는 속칭 '명문대'와는 거리가 먼 학교 출신이다. 그의 표현을 빌리
자면 "어디 가서 명함을 내밀기가 창피한 학교"라고 한다.

그러나 이씨는 군 면제를 받아 남들보다 어린 나이에 회사생활을 시
작했으며, 손꼽히는 대기업에서 고속 승진을 거듭했다. 30대 중반에
부장 자리에 올랐고, 만 40세가 되기 전에 이사대우로 승진시켜 주겠다

는 회사의 제의를 뿌리치고 독립을 했다.

서울 강남의 번화가에 있는 그의 사무실은 호사스럽게 꾸며져 있었다. 바닥에는 짙은 색깔의 카펫이 깔려 있었고 첨단 분위기가 물씬 풍기는 커다란 시스템 책상이 위압적으로 보였다. "1,000만 원이 조금 넘는 이탈리아산"이라고 이씨는 소개했다. 자금난에 허덕여 살던 집까지 팔았을 때에도 책상만은 처분하지 않았다는 것이 그의 설명. 창고를 빌려 맡겼을 정도로 애지중지하는 '보물 1호' 라고 한다.

두 명이 함께 써도 남을 만큼 커다란 책상은 깔끔하게 정리되어 있었다. 책상 뒤로 이상한 모양의 기계가 눈에 띄었다. 오디오였다. 앞쪽 면이 전부 유리로 된 것이 특이했는데 길쭉한 모양의 얇은 오디오가 놓여 있었다. 그 속에 들어 있는 5장 정도의 CD가 훤히 보였다. 스피커 역시 기괴한 모양새를 하고 양쪽 구석에 자리잡고 있었다. 덴마크 제품(B&O)으로 1,500만 원이 넘는다고 한다.

사무실에 이렇게 비싼 것들을 놓아야 하는 이유를 이해하기 힘들었는데, 그는 "원래부터 꾸미는 것을 좋아한다"고 했다.

1980년대 중반, 그가 처음 시작한 사업은 보따리 장사였다. 미국과 유럽 출장을 자주 다닐 때 눈여겨보았던 아이템들을 수입해 국내에 파는 일로 첫발을 내디뎠다. 처음에는 액세서리 등의 장신구를 주로 들여와 공급을 했다. 철저하게 고급품 위주로 수입했다. 부잣집 사모님들이 좋아할 만한 품목들이었다.

그러다가 자금에 여력이 생기자 수입 품목을 확대했다. 1990년대 들

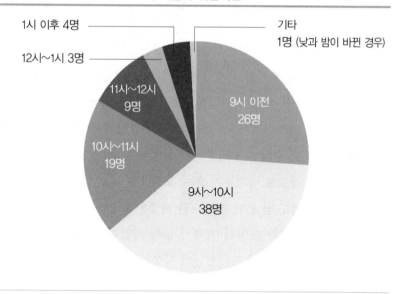

부자들의 취침시간

1시 이후 4명

12시~1시 3명

기타
1명 (낮과 밤이 바뀐 경우)

11시~12시
9명

9시 이전
26명

10시~11시
19명

9시~10시
38명

어서는 건축자재를 수입하기 시작했다. 최고급으로 쳐주는 이탈리아산 대리석과 금으로 만든 수도꼭지, 장식품들을 들여왔는데 날개 달린 듯 팔렸다. 심지어는 핀란드산 통나무집을 통째로 수입하기도 했다.

한동안 잘나가던 사업은 IMF를 계기로 기우뚱했다. 환율이 크게 올라 사치품 장사를 하기 힘들어졌던 것. 1997년 하반기부터 1998년 초까지 거의 정지 상태로 있었다. 물품을 공급받던 중간상인들마저 부도를 내면서 상황이 더욱 악화됐다. 수입대금을 송금하기 위해 집까지 팔아야 했다.

"그래도 저는 희망이 있다고 생각했어요. 미안한 얘기지만 부자들은 이때 신이 났거든요. 은행에 돈을 넣어두기만 하면 이자를 20% 준다는

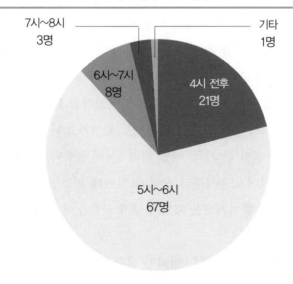

부자들의 기상시간

7시~8시
3명

기타
1명

6시~7시
8명

4시 전후
21명

5시~6시
67명

데 얼마나 행복한 일입니까. 처음에는 금 모으기다 뭐다 해서 부유층
이 움츠렸는데요. 좀 지나니까 돈 쓰는 재미를 찾아다니더군요."

이치형 씨는 IMF 이후 더욱 많은 돈을 벌었다. 처음 1억 원의 밑천을
가지고 시작한 그는, 현재 최소한 200억 원으로 추정되는 자산을 보유
하고 있다. 서울 요지에서 헬스클럽도 운영하고 있다.

자수성가한 부자치고 늦게 출근하는 사람 없다

이씨가 앞설 수 있었던 것은 '탁월한 외국어 실력' 덕분이었다. 처음
대기업에 입사했을 때 그의 영어실력을 높이 산 임원들이 해외출장 때

마다 그를 데리고 다니면서 윗사람들의 눈에 들었다. 외국에서 중요한 바이어가 찾아왔을 때 사장 통역을 맡은 것이 계기가 되었으며, 아예 해외업무 쪽으로 자리를 옮겨 승승장구하게 되었다. 미국인들마저 "이 사람, 정통 영어를 구사하는데, 대단한 실력이다"라면서 추켜세웠다.

유학파도 아닌 이씨가 어떻게 그 같은 영어실력을 갖추게 되었을까?

"3류 대학에 다니면서, 그것도 턱걸이로 들어가고 나서 고민을 많이 했습니다. 이때 철이 든 거죠. 매일 새벽 5시에 일어나서 종로에 있는 영어학원을 다녔어요. 6시부터 수업이 있는데 리스닝과 회화수업을 들었죠. 할아버지 돌아가셨을 때와 맹장 수술했을 때를 빼고는 하루도 빠진 적이 없습니다."

그는 "외국어를 익히는 데는 머리가 필요 없다"고 말한다. 미국에서는 행려병자도 영어를 하는데, 그보다 나은 환경에 있는 우리가 못 할 이유가 없다는 색다른 주장이다. 외국어를 말하고 듣고 보고 쓰는 습관만 잘 익힌다면 평범한 미국인만큼의 영어를 구사할 수 있다고 강조했다.

휴대용 카세트를 들고 다니면서 테이프가 너덜거릴 때까지 회화를 들었으며, 집에서는 하루 종일 TV로 미군 방송을 봤다. 미국인들의 발음을 그대로 흉내내면서 억양까지 입에 배도록 훈련을 했다. 그렇게 4년을 보낸 결과가 유창한 영어실력으로 이어졌다는 것이다. 처음에는 막무가내로 따라 했으나, 점차 감을 잡으면서 미국 상류층의 '고급 영어'를 중심으로 입을 '구조조정' 했다.

대학을 마치고 회사에 들어간 이후에도 새벽 영어공부를 중단하지 않았다. 이탈리아어와 프랑스어 등을 익힌 것은 '오기' 때문이었다고 말한다. 그룹의 높은 분들과 함께 이탈리아와 프랑스에 출장을 간 적이 있었는데, 생각 외로 영어가 통하지 않았던 것(특히 프랑스의 경우 영어를 배척하는 경향이 많다고 한다).

"말이 안 통해 사소한 일이 자꾸 틀어졌는데 저에게 화살을 돌리는 눈치였어요. 저의 자격지심 때문인지도 모르겠습니다. '그러면 그렇지, 네깟 놈이'라고 저를 얕보는 것 같았어요. 그래서 생각을 했죠. 영어도 했는데 그 사촌인 이탈리아어나 프랑스어를 못 하겠느냐고 말이죠. 교재를 구해서 회사 업무시간 외에는 그 공부만 했습니다. 나중에 이탈리아 제품을 수입하게 될 줄은 생각도 못 했죠. 이탈리아 공방의 디자이너들과 친해져서 사업이 한결 수월하게 풀렸습니다. 우리나라 사람들과 속성이 비슷하거든요. 이탈리아인들은 화끈하죠."

이치형 씨가 성공으로 도약하게 된 데는 외국어 실력이 한몫 했다. 겉으로 보면 그렇다. 하지만 이씨가 외국어만으로 부자가 됐다고 생각한다면 잘못된 판단일 가능성이 높다. 외국어만 잘해서 부자가 될 수 있다면 학원강사로 전전하고 있는 일부 미국 석·박사 소지자들은 왜 부자가 되지 못했겠는가.

따라서 이씨가 성공한 이유는 보다 근원적인 부분에서 찾아야 한다. 그것은 '부지런함'이라는 습관 덕분이다. 이치형 씨가 아무리 어학에 천부적인 재능을 타고났다 한들, 그에게 근면성이 없었다면 운명이 달라졌을 것이다. 매일 새벽 5시에 일어나 학원에 다니는 생활을 7년이나 했다는 것은 일반 사람들에게서는 기대하기 어려운 대목이다. 새벽에 영어학원 한번 안 다녀본 사람이 없을 정도이지만, 그 결심을 보름 이상 지속하지 못했던 경험을 웬만한 사람들은 다 가지고 있을 것이다. 이씨는 처음에는 영어를 익히기 위해 학원에 다녔으나, 나중에는 영어 구사 능력을 더욱 높이기 위해 외국인 강사를 쫓아다녔다고 한다.

부지런함의 척도를 파악하기 위해 100명의 부자들에게 기상시간과 취침시간을 물어보았다. 그들은 거의 대부분 '일찍 자고 일찍 일어난다'고 답변했다. 연령이 높을수록 이 같은 경향은 뚜렷했다. 기상시간이 이르다는 것만으로 부지런하다는 결론을 내릴 수는 없다. 밤새워 일을 하고 낮에 수면을 취하는 부자들도 없지는 않다.

하지만 대개의 부자들은 '일찍 일어나면 하다 못해 신문이라도 꼼꼼하게 볼 수 있다'거나 '성격이 급해 새벽 5시면 눈을 뜨고 그 날 일을 생각한다'고 응답했다.

'하루에 몇 시간 정도 일을 하느냐'는 질문에는 그 대답이 제각각이었다. '은퇴했기 때문에 일이라고 할 만한 것이 없다'는 답변부터 '10시간 이상 매달린다'는 응답에 이르기까지 다양한 반응이 나왔다. 그러면서도 이들은 '일에 오래 매달려 있다고 해서 잘 풀리는 것은 아니다'라는 주장을 폈다. 일을 하는 절대적 시간보다는 효율이 문제라는 것이다.

성공한 사람들이 부지런하다는 것은 다른 조사를 통해서도 드러난다. 한 경영 전문지가 국내 100대 기업의 최고 경영자들을 대상으로 설문조사한 결과도 위의 결과와 비슷하다. 이들의 평균 출근시간은 오전

7~8시가 58.6%로 나타났다. 6~7시 사이에 출근한다는 경영자도 17.2%였다. 결국 75.8%가 8시 이전에 출근을 하고 있는 셈이다. 가장 이른 시간에 출근하는 경영자는 모 그룹의 부회장으로 6시 30분에 회사에 나온다고 응답했다. 이들은 또 하루 평균 10시간 40분 일한다고 답변했다. 점심 시간을 제외하고 말이다.

세상에는 공평한 구석도 없지 않다. '시간'은 누구에게나 일정하게 주어져 있기 때문이다. 부자들에게도 시간은 유한하다. 단지 이들은 남보다 시간을 효율적으로 사용했으며, 이를 습관으로 삼았기 때문에 부자 인생을 만들어 나갈 수 있었다. 이제는 새로운 속설이 하나 생길 때가 되지 않았나 싶다.

'자수성가한 부자치고 늦게 출근하는 사람은 없다.'

no.16 무자비함을 배워라

"착하게 사는 것은 중요하다.
그러나 그게 돈 버는 기준이라면 나는 평생 가난뱅이 신세였을 것이다."
— 진성호(상가 임대업) —

인생 자체가 전쟁이다. 사람은 태어난 이후 줄곧 누군가와 경쟁을 벌여야 한다. 어릴 때는 동네 조무래기들과 골목대장 자리를 놓고 다툰다. 자라면서부터는 남들보다 높은 점수를 받기 위해, 또 성적 상위권에 들기 위해 경쟁을 한다. 졸업한 뒤에는 번듯한 직장을 잡으려고 경쟁을 치른다.

여기까지가 짧은 전반전이다. 그보다 긴 후반전은 피가 튀는 혈전(血戰)이다. 경쟁에서 도태될지도 모른다는 생각만으로도 아득하다. 수많은 경쟁상대와 싸워야 한다. 옆자리 동료나 선후배 모두가 경쟁상대이다. 앞에서는 웃는 낯이지만, 뒤돌아서면 시퍼런 칼날의 언저리가 보인다. 살아남기 위해 줄을 만들기도 하고 치열한 권력투쟁을 벌이기도 한다. 승부가 갈리는 순간 패배자들은 떠나야 한다.

우리는 하루에도 몇 번씩 그렇지 않다고 강변하고 싶어한다. 그러나 애써 손사래를 쳐도 부질없다는 것을 곧 발견하게 된다. 믿고 싶지 않지만, 현실이 그렇다.

시장에선 법보다 돈이 먼저다

전자상가에서 부품 도매업을 하는 황윤석 씨는 한 달 전에 경쟁자 한 곳을 해치웠다고 자랑을 했다. 그 상가에는 같은 품목을 취급하는 6개의 부품 도매상이 있었는데, 그 중 하나를 망하게 했다는 것이다.

"여기는 상권이 그리 크지 않아요. 5개도 많아요. 그런데 작년 말에 도매상 하나가 삐죽 들어오더라고요. 여기 룰도 모르고 말이죠."

기존 5개 도매상이 은밀히 모였다고 한다. 점포별 시간차 공격에 들어갔다. 연거푸 가격인하 공세를 시작한 것이었다. 많이 나가는 부품의 경우 최대 20%까지 가격을 깎아 팔기 시작했다.

"이 동네에서는 웬만하면 현금 박치기입니다. 현금이 없으면 완전히 바보가 되지요. 칩 세트 하나가 얼마인데요." 황씨가 내보인 지갑에는 자기앞수표가 넘치도록 가득 들어 있었다. 어느 정도 규모 있는 부품 도매상의 경우, 웬만한 명동 사채업자 뺨칠 정도의 현금 동원 능력을 가지고 있는 것으로 알려져 있다.

결국 뒤늦게 문을 열었던 도매상은 백기를 들고 투항했다. 그 도매상은 무엇을 원하는지 물었고, 5개 부품 도매상들은 여기서 부품상을 하지 말라고 응수했다. 6번째 도매상은 기존 업자들에게 재고를 넘기고 가게를 정리했다. 5개 도매상은 곧바로 가격을 환원시켰다. 이른바 가격담합 행위를 한 셈이다. 명백한 실정법 위반(공정거래법)이다. 그러나 시장에서는 법이 우선하지 않는다. 돈이 먼저 통한다. 여유 있는 사람에게 돈은 훌륭한 공격 수단이다. 반면 당하는 사람에게는 끔찍한 횡포다.

"아까도 말씀드렸지만 6개로는 계산이 나오지 않는다니까요. 시장이 너무 뻔한데요. 우리가 죽을 판인데 누구 사정을 봐주겠어요." 황씨의 변명이었다. 그러나 진실되게 들리지는 않았다. 몇몇 도매상들이 기득권을 누리기 위해 신규 사업자를 몰아낸 것으로밖에 해석되지 않았다.

돈이 많은 사람들은 이런 식으로 경쟁자들을 몰아낸다. 약점을 보이는 순간 번개같이 어퍼컷을 날리고 재기불능의 상태로 만들어버린다. 그래서 모든 사업은 금융업의 속성을 가지고 있다. 이른바 '돈질' 앞에는 당해낼 장사가 없다. 신문에 흔히 등장하는 '대기업 횡포를 이긴 중소기업'이란 미담(美談)은 현실에서 찾아보기 어렵다. 어쩌면 드라마를 좋아하는 기자가 작문을 했을 가능성도 있다. 그 중소기업에 돈이 없었다면 대기업의 공세에 어떻게 버티고 이겨낼 수 있었겠는가. 뜻과 의지만으로는 돈질에 맞설 수 없다.

부자가 되고 싶다면 때로는 무자비한 모습이 필요할 때도 있는 것 같다. 다만, 항상 무자비하게 살아야 한다는 것은 아니다. 그렇게 산다면 어느 누구도 곁에 붙어 있지 않으려 할 것이다. 외톨이 신세가 된다. 외톨이 부자는 거의 없다.

주변의 부자들이 어떤 사람인지 보자. 흔히 순한 사람들을 일컬어 양처럼 순하다고 한다. 그러나 양이란 동물만큼 성격이 못된 놈도 없다.

그 더운 여름에도 서로 꼭 붙어 움직이지 않는다. 틈을 주지 않는다. '너 한번 더위 타봐라' 식의 심사 같다. 착하기만 한 부자는 없다. 지킬 박사와 하이드처럼 우리 마음속 깊은 곳에는 이 같은 양면성이 항상 자리잡고 있는지도 모르겠다.

part 2

그들은
어떻게
부자가
되었을까?
[부자 노하우]

no. 17 '큰손'들의 부동산 투자

"어떤 면에서 부동산 투기는 필요악이다.
거품이 끼어야 경기가 좋아진다. 투기를 단속하는 정부도 그걸 잘 알고 있다."
— 서형준(임대업) —

변호사와 의사 부부가 20채에 가까운 아파트를 소유하고 있다는 사실이 뉴스를 통해 알려지면서 여론이 들끓었던 적이 있다. '번 돈이 별로 없다'면서 수입을 축소 신고(연간 수입 합계가 3,000만 원)해 세금은 몇 푼 내지 않으면서도 그처럼 많은 부동산을 갖고 있다는 사실이 드러났기 때문이었다.

하지만 필자가 조사한 바에 따르면 이처럼 자신의 명의로 여러 채의 아파트를 갖고 있는 사람은 '큰손'의 축에 들지 못한다. 진짜 큰손들은 전면에 나서지 않는다. 어느 누구도 알 수 없게 시장에 들어갔다가 자취를 남기지 않고 사라진다. 세무당국의 입장에서 보면 집중관리 대상이자 요시찰 대상이다.

연성길 씨가 바로 그런 사람이다. 연씨는 서울 곳곳에 아파트 수십

채를 갖고 있었다고 말했다. 지금은 모두 처분하고 수도권 땅을 보러 다닌다고 한다. 아파트에서 손을 뗐다는 말이 사실인지 아닌지는 정확히 알 수 없지만, 대다수 부자들은 재산에 대해 구체적으로 밝히는 것을 극도로 꺼려한다. 세금과 관련된 문제이기 때문이다.

연씨가 아파트에 투자하는 방법은 분양권 전매*였다. 연씨는 중개업자들과 탄탄한 네트워크를 구축해 놓았다. 좋은 물건이 나올 때면 어김없이 그에게 전화가 걸려온다. 연씨는 이른바 '떴다방' 등의 업자들에게 돈을 대주고 서울지역 신설 아파트의 분양권을 구입했다고 한다. 분양권을 넘겨받은 다음에도 명의 변경은 하지 않았다. 분양권에 당첨된 사람들의 명의로 중도금을 대신 부어준 것이다. 중도금을 두어 번 붓다 보면 예외 없이 분양권 프리미엄이 올라갔다는 것이 연씨 주변 사람들의 말이다.

이렇게 분양권을 사들였다가 분양권 시세가 한참 오르면 다른 사람에게 높은 값에 넘겨 차익을 챙긴 셈이다. 물론 계약에는 연씨가 나타나지 않는다. 원래의 주인과 인수자만이 세무당국에 신고된다. 세금도 연씨가 대신 내준다. 그렇다고 하더라도 종합소득세를 내야 하는 연성길 씨의 입장에서는 엄청난 이득이다. 더구나 분양권 전매 금액이 실제 거래된 그대로 신고되는 경우는 거의 없다. 연씨는 분양권 전매 외에도 청약통장 매매를 한 적이 있다고 한다. 청약통장 거래는 물론 불법이다.

연씨의 말처럼 당분간 아파트 분양권 장사는 끝났다고 말할 수도 있다. 정부가 서울과 일부 수도권 지역을 투기과열지구로 지정해 분양권 전매를 제한하기로 했기 때문이다. 계약금과 중도금을 2차례 낸 뒤에야 전매가 가능해졌다. 만일 분양가가 2억 원인 아파트라면 계약금(20%)과 중도금 2회(40%) 등 총 1억 2,000만 원을 납입한 뒤에야 분양권을 전매할 수 있게 된 것이다.

따라서 연씨와 같은 사업 방식은 더 이상 어렵게 됐다. 과거처럼 분양권을 전매했다가는 2년 이하의 징역 또는 2,000만 원 이하의 벌금형을 받게 된다. 상황 변화를 무시하고 분양권을 전매하려 할 수도 있으나, 걸리지 않는다는 보장은 없다.

연씨가 수도권 땅을 보러 다니는 이유도 이 같은 상황 변화에 따른 것이다. 그가 아파트 분양권 전매로 얼마나 벌었는지는 알 수 없다. 다만, 그가 '손을 댄 적이 있다'고 암시한 몇몇 아파트의 경우, 프리미엄이 당초 분양가의 2배가 넘는 곳도 있었다. 처음 분양을 할 때는 3억 원정도였는데, 완공 시점에는 가격이 6억 원 이상으로 오른 것이다.

연씨는 분양권과 관련해 상세한 이야기를 하지는 않았다. 오히려 수도권의 땅 이야기를 많이 했다.

"파주 ○○면, 남양주 ○○, 양평 ○○ 인터체인지 쪽이 좋습니다. 제2외곽순환고속도로가 건설되면 이쪽이 집중적으로 개발될 겁니다. 돈 있으면 땅 사세요. 땅 사서 묻어놓으면 손해는 안 봅니다."

연성길 씨는 지난 1980년대에도 수도권 모 처의 땅을 평당 5만 3,000원에 샀는데 외곽순환고속도로가 생긴 뒤 평당 200만 원까지 오른 덕에 꽤 큰 이익을 얻었다고 말했다.

부자들은 부동산 개발 정보에 정통하다. 수도권 어느 지역에 경전철이 뚫리고 고속도로가 어디에 놓이는지 속속들이 알고 있다. 발품을 팔아 얻은 정보들이다. 직접 답사를 다니면서 그 지역 부동산 업자들과 정보를 주고받는다.

부자는 정부의 생각을 읽는다

부동산 투자를 주로 하는 부자들은 '거품'을 적극 이용해 재산을 불리고 있었다. 미리 부동산을 사놓았다가 거품이 끼어 값이 치솟을 때, 뒤늦게 뛰어든 사람들에게 팔아 이익을 챙긴다. 이들의 돈놀이에 중산층까지 가세하면 부동산 값이 하늘 높은 줄 모르고 치솟는다. 본격적으로 거품이 끼는 형국이다. 때문에 '부동산 큰손'은 내 집을 가진 중산층에게는 고마운 존재일지도 모른다. 반면 내 집 마련을 못한 서민들에게는 너무나 얄미운 사람들이다. 자꾸 집 값을 올려 집 장만의 꿈이 멀어지게 하니 말이다.

부자들의 한 가지 공통점은 정부의 생각을 읽을 줄 안다는 것이다. 이들은 정부가 어떤 뜻에서 정책을 내놓는지, 그 이면을 해석할 줄 아는 안목을 가지고 있다. 연성길 씨만 해도 그렇다.

"1998년에 정부가 분양권 전매를 사실상 허용했는데요. 그 뜻이 뭐겠어요. IMF 때문에 경기가 어려우니까 돈 가진 사람들이 풀라는 것 아닙니까. 떳떳하게 분양권을 사고 팔 수 있게 정부가 눈감아준다는 것이지요. 그 전까지만 해도 부동산 투기 억제한다고 분양권 전매에는 서슬이 퍼랬는데 말이에요. 그럴 때는 돈 가지고 들어가면 틀림없어요. 편법이 좀 있어도 단속을 안 합니다."

정부와 부자들간의 관계는 항상 견제와 균형을 유지한다. 정부는 경기가 달아오를 때 '세금을 내라'고 부자들을 윽박지르는 한편, 경기가 바닥일 때는 러브·콜을 보낸다. '돈을 좀 풀라'는 애원이다.

1997년 전까지만 해도 정부는 부동산 투기와 과소비를 막겠다며 '1가구 2주택' 및 '1가구 2차량'에 대해 세금을 무겁게 매기겠다고 칼을 갈았다. 하지만 IMF 위기 이후 이런 정책은 일제히 용도 폐기됐다. 빈부격차 해소보다는 돈을 돌려 경기를 부양하는 것이 우선 과제였기 때문이다. 부자들은 이런 기회를 절대 놓치지 않는다. 이런 양태의 부동산 투기(투자)가 바람직하다고 말하는 건 물론 아니다.

부동산 투자로 재미를 본 사람 가운데는 '누가 봐도 밉상'인 경우도 있다. M씨가 그런 부류다. 그는 '알박기' 수법을 여러 차례 발휘해 재미를 봤다. '알박기'란 부동산 투자를 주로 하는 사람들 사이에 통하는 은어다. 아파트 등을 건설하기 위해 대규모 토지가 수용될 경우, 그 정보를 입수하자마자 그 중심에 있는 땅이나 집 등을 구입하는 것이다. 과거 토지개발공사나 주택공사가 땅을 개발할 때부터 있었던 고전적인 수법이다.

부동산 개발업체는 그 땅을 사지 않고서는 개발계획을 진행시키지 못하게 된다. 미리 알을 박은 사람은 주변 시세에 비해 훨씬 비싼 값이 나올 때까지 협상을 지연시키는 수법을 쓴다. 개발업체가 마침내 굴복해 돈을 내주면 또다시 다른 곳에 가서 알을 박는다.

아파트 단지를 다니다 보면 단지 한구석에 단독주택이 삐죽 들어서 있는 곳이 있다. 십중팔구는 알박기라는 게 M씨의 설명이다. 값을 놓고 실랑이를 벌이다가 업체가 포기해 버린 것이다. "그래서 정확히 중심에 알을 박아야 한다"며 M씨는 웃는다.

M씨는 서울과 수도권에 러브호텔을 가지고 있다. 두 곳 모두 전문업자에게 운영을 위탁했다. 장사가 잘될 때는 하루에 10회전까지 가능해 현금 수입이 상당하다는 것이다. 러브호텔에서 신용카드를 이용하는 경우는 거의 없다. M씨는 "친구들 중에도 러브호텔을 가진 사람이 있는데 창피해서인지 세를 주었다"고 전했다.

부자들에 따르면 부동산 시장은 험한 곳이다. 거래를 주선하겠다고 찾아오는 사람 가운데 절반은 사기꾼이라고 한다. 이들에게 휘말리지 않으려면 매사를 꼼꼼하게 따져야 하며 부동산에 대한 충분한 지식이 필요하다고 지적했다.

부자들은 또 거주하는 집은 대단한 재산이 아니라는 시각을 갖고 있었다. 살고 있는 집 값이 오른들, 다른 곳도 그만큼 오르는 경우가 대부분이라는 얘기다. 집 값이 올랐다고 해서 팔고 나면 옮길 만한 마땅한 곳도 없다. 주거환경이 좋으면서도 가격이 싼 집은 없다. 이런 시각에서 보면 요즘 아파트 값이 많이 올랐다고 해서 좋아할 일도 아닌 것 같다.

부자들은 "최소한 가족이라도 지키기 위해서는 집을 담보로 베팅을 하는 투자는 신중하게 생각해야 한다"고 말했다. 집도 절도 없이 나앉게 되면 가족마저 잃을 가능성이 높다는 것이다.

**Note

*분양권 전매 : 분양권 전매란 쉽게 말하면 현재 공사중인 아파트를 팔고 사는 것이다. 청약통장 가입자에게 우선 공급한 분양 아파트의 입주권을 분양권이라고 한다. 이것을 아파트 입주 전에 실제 물건이 아닌 권리 형태로 다른 사람에게 파는 것을 분양권 전매라고 한다. 원래 정부는 이를 불법으로 간주했으나, 1998년 관련법을 개정해 분양권 전매를 허용했다.

거꾸로 생각하라

"별다른 비법이 있는 것이 아니다.
남들이 가위 낼 때 바위를 내면 되고 바위를 낼 때 보를 내면 된다."
— 성재철(조명매장 운영) —

신문의 아랫도리를 보라

부자가 되려면 경기의 흐름을 읽는 안목을 길러야 한다. 경기에 민감하게 안테나를 세워놓아야 돈을 굴려 돈을 벌 수 있다. 최소한 투자 실패에 따른 손실만이라도 줄일 수 있다. 부자들은 경기에 민감하다. 그들의 본능이 항상 경기 흐름을 좇고 있기 때문이다.

경기를 살필 수 있는 가장 쉬운 방법은 신문을 보는 것이다. 아무 신문이든 상관없다. 기사를 보라는 것이 아니다. 기사도 중요하지만, 그 아랫도리를 살피는 습관을 기르는 것이 좋다. '아랫도리' 란 다름 아닌 광고다.

광고는 어김없는 경기지표다. 기업들, 특히 대기업들은 경기가 위축될 기미를 보이면 가장 먼저 광고비 집행부터 줄인다. 광고비는 기업들이 곤경에 처했을 때 꼽는 '불요불급 경비' 가운데 1순위다.

그래서 신문의 아랫도리가 전에 비해 빈궁해졌다면 경기 후퇴기라고 보아도 무방하다. 이럴 때는 약 광고와 책 광고가 많다. 다른 것에 비해 광고 단가가 싸기 때문이다. 다만, 토요일자 신문은 해당 사항이 없다.

반대로 경기가 상승세일 때는 기업 이미지 광고가 눈에 자주 띈다. 기업간 광고전쟁이 붙은 것도 아닌데 호화찬란 컬러 광고가 많다면 경기가 꼭대기 언저리에 있는 것이다.

누구나 아는 것은 정보가 아니다

부자들은 이런 흐름을 타고 돈을 번다. 남들이 주식이나 부동산에 몰리지 않을 때 미리 들어가서 앉아 있다가 남들이 몰려들어 값이 치솟으면 손을 털고 나온다.

패스트푸드점을 운영하는 박윤섭 씨는 "신문에서 불황이라고 떠들때 주식을 사면 대개는 타이밍이 맞는다"고 말한다. 파는 시점은 개미 투자자들이 알려준다고 한다. "사람들이 주식시장에 대거 몰린다면 꼭대기에 근접한 것이고, 빚 얻어서 투자하는 사람이 늘어나면 곧 내리막"이라는 것이 박씨의 경험담이다.

주가는 일반적으로 경기에 조금 앞선다. 경기가 회복되기 전에 오르기 시작하고, 호황기에 접어들면 과열 조짐을 보이다가 하락세로 돌아선다. 부자들은 회복 전에 주식에 투자하고, 개미들은 신문에 '주식시장 활황'이라는 기사가 나온 뒤에야 투자를 한다. 그 즈음에 부자들은 투자를 정리한다.

성재철 씨는 이를 '가위바위보 게임'이라고 명명한다. 가위바위보는 상대방이 무엇을 낼지 알 수 없으므로 위험이 생길 수 있지만, 투자 게임은 남들이 무엇을 낼지 뻔히 알고 있으므로 안전하고 쉬운 게임이라고 주장한다.

주가가 경기 변동에 앞서는 반면, 부동산은 경기와 궤를 같이하는 경우가 많다. 그래서 본격적으로 호황이 시작될 때 들먹거린다. 부자들은 이때 부동산을 현금으로 바꾼다. 반면 부자가 아닌 사람들은 부동산을 산다. "누군가가 부동산에 투자해 큰돈을 벌었다"는 소식을 들었기 때문이다. 때는 이미 늦었을 수도 있다. 부자가 싸게 사서 비싸게 판 것을, 부자 아닌 사람이 은행 빚까지 얻어 사게 된다. 부자는 회수한 현금을 가지고 있다가 다른 기회를 노린다.

결국 부자와 부자 아닌 사람은 서로 반대로 행동하는 셈이다. 부자들은 남들이 가위를 내기를 기다렸다가 바위를 내고 돈을 번다. 뒤늦게 주식 투자를 했다가 상투를 잡은 부자 아닌 사람들의 입장에선 얄미운 존재들이다.

부자가 되고 싶다면 그들의 가위바위보 기술을 배울 수밖에 없다. 그 기술이 하루아침에 터득될 수 있는 것은 아니다. 상당한 수업료와 인내라는 대가를 치른 후에야 노하우를 터득할 수 있다. 부자들 역시 처음에는 부자가 아닌 사람들처럼 손해를 많이 본 사람들이다. 부자들에게도 엄연히 '초보운전'의 시절이 있었다.

투자에 '부화뇌동'은 없다

"하늘만 바라보면서 농사짓는 사람과 물길을 내어놓고 농사짓는 사람 중에서
누가 많은 수확을 거두겠는가?"
— 최충호(저축은행 설립자) —

증권 분야 취재를 하다 보면 수많은 항의 전화에 익숙해진다. 시황
변동에 따라 손해를 본 투자자들이 가만히 있지 않는다. 귀신처럼 재
빨리 전화를 건다. 증권시장은 돈을 따기도 하고 잃기도 하는 게임이
매일 벌어지는 살벌한 현장이다.

어느 날 40대 여성이 필자의 회사에 전화를 걸었다. "방금 전 기사 때
문에 S사 주가가 지금 흔들리잖아요. 무슨 의도로 기사를 썼나요? 상
한가까지 갔었는데 재 뿌리는 겁니까? 손해 보면 책임질 거예요?"

전화를 받은 기자가 대꾸할 틈도 주지 않고 몰아붙였다. 단말기를 확
인해 보니, 그 회사 주가는 여전히 상한가에 머물고 있었으나 매수세
가 둔화되고 있었다. <edaily>가 전한 기사의 내용은 'S사에 내분이 벌
어져 일부 주주들이 대주주를 대상으로 민사소송을 제기했다'는 것이
었다.

인터넷 경제 통신인 <edaily>의 기사는 자체 사이트는 물론 각 증권사의 홈트레이딩 시스템(HTS)으로 즉각 송출되며, 실시간 주가에 반영되는 경우가 많다. S사의 케이스도 마찬가지였다. 어쩌면 그 같은 재료가 시장에 전해져 주가 상승을 유발했는지도 모른다. 주주간 주식매수 경쟁이 벌어졌을 가능성도 있다. 지분확보 경쟁이 벌어지면 사자 수요가 많으니 주가가 뛰는 것이 당연하다.

담당 기자가 답변을 했다. "소송사태가 벌어졌는데 우리더러 쓰지 말란 말입니까? 우리가 사실을 전달하면 자기 책임하에 투자를 해야지요. 회사 경영을 잘못한 S사 대주주한테 항의를 하세요. 우리는 투자자들이 알아서 판단하라고 정보를 제공하는 것 아닙니까?"

항의 전화를 한 여성은 한참 동안 불평을 늘어놓다가 잠잠해졌다.

루머는 루머일 뿐이다

투자자들에게 익숙한 지침 몇 가지가 있다. 그 중 대표적인 것이 '루머에 사서 뉴스에 팔라'는 것이다. 루머 수준에서는 남들보다 빨리 사들여 가지고 있다가, 그 종목에 대한 뉴스가 나와 공식화될 때 팔라는 얘기다. 뉴스가 나오면 투자자들이 몰려들어 주가가 오르게 되니 이때 손을 털라는 것. 그럴싸한 전략이다.

그런데 100명 중 주식 투자를 직접 하는 27명을 취재해 본 결과, 이들은 '루머에 사서 뉴스에 팔라'는 지침이 틀렸다고 주장했다. 루머를 믿고 천금 같은 돈을 투자한다는 것은 등잔불을 향해 달려드는 불나방과 다를 바 없다는 말이었다.

"루머를 어떻게 믿어요. 저도 처음에는 루머를 수집해서 투자했는데, 대개는 세력이 붙어 있는 경우지요. 이용만 당해요. 루머 뒤에 뭐가 있는지를 볼 줄 아는 안목이 있어야 합니다. 그렇지 않다면 차라리 루머를 무시하는 게 낫습니다. 내가 다니는 회사거나 친구가 경영하는 회사라면 몰라도 말이죠."

증권사 지점장 출신인 허유식 씨의 말이다. 허씨는 "주식 투자로 성공하려면 살 때나 팔 때나 귀를 청소하지 않아야한다"고 말한다. 남의 얘기에 부화뇌동했다가는 손실을 볼 가능성이 높다는 것. 오히려 "눈만 믿는다"고 말한다. 자신이 직접 눈으로 확인하지 않은 이상, 섣부른 투자는 하지 않는다는 경험담이다.

"루머를 활용해서 돈을 벌 수도 있겠지요. 그런데 그것도 한두 번이지, 계속 성공한다는 보장이 없거든요. 한 번 따면 열 번은 잃는다고 봐야 해요. 한 번 크게 먹고 빠질 수도 있겠지만, 사람 욕심이란 게 어디 그런가요. 계속 매달리다 보면 쪽박 차는 수밖에 없어요."

허씨는 "주식 투자를 하려면 최소한 그 기업의 재무제표와 사업계획서 정도는 볼 줄 알아야 한다"고 강조한다. 매출을 얼마나 올렸고 이익은 내고 있는지, 현금 흐름은 어떤지, 앞으로 전망은 어떤지 등을 주의 깊게 살피는 것이 기본이라는 말이다. 화려한 것들만 쫓아다니다가 독사에 물리는 투자자들이 많다고 그는 말했다.

실제로 그렇다. 몇 가지 지표만 봐도 그 기업의 내용을 어느 정도는 알 수 있다. 매출과 영업이익, 경상이익, 순이익 등만 파악해도 된다. 이런 지표가 지난 1년 전 또는 6개월 전에 비해 늘어났는지, 아니면 줄어들었는지 확인하는 것이 주식 투자의 첫걸음이다.

매출이 늘었다고 해서 반드시 실적이 좋아진 것은 아니다. 오히려 이익이 줄어드는 경우가 있다. 또한 순익만을 놓고 회사 실적을 가늠할수 없다. 영업이익(사업활동을 통해 창출한 이익)이 늘었는지도 점검해 봐야 한다. 일부 회사의 경우 영업이익은 전보다 줄었는데 순익이늘어난 경우가 있다. 환율변동이나 유가증권 투자 등으로 인한 평가이익이 많아 이것이 순익에 반영된 케이스다. 평가이익도 중요한 요소이기는 하지만, 제조업의 경우 영업이익이 최우선이다.

시끄러운 곳에서는 돈 벌 기회가 없다

허유식 씨는 부자들이야말로 투자를 할 줄 아는 사람들이라고 이야기한다. 주식 투자든 무엇이든 투자를 관통하는 법칙이 있다는 것.

허씨는 이렇게 표현한다. "돈은 물과 반대 방향으로 흐릅니다. 물은높은 데서 낮은 곳으로 흐르지만, 돈은 가난한 사람으로부터 부자에게로 거슬러 올라갑니다. 투자가 무엇인지 알기 때문이지요."

허유식 씨는 "지점장 시절, 부자들에게서 오히려 주식 투자를 배웠다"면서 겸연쩍어한다. 자신이 찍어주는 종목에 투자하지 않고 뻔한주식만을 사는 부자들이 몇 명 있었는데, 나중에 수익률을 비교해 보니까 비교가 되지 않더라는 것. 그런 부자들은 허씨가 주식시장 돌아가는 이야기를 하면서 종목을 선정해 줄 때마다 고개를 끄덕였지만, 정작 투자는 엉뚱한 곳에 했다는 것이다.

"나중에 깨달았어요. 주식으로 돈 벌려면 조바심을 버려야 한다는 것을요. 큰 틀을 봐가면서 세심하게 투자를 결정해야 합니다. 참 우습지요. 돈 없는 월급쟁이들은 화끈하게 주식을 사는데, 부자들은 이것저것 꼼꼼하게 재서 투자를 하거든요."

기대 수익률과 리스크(위험)는 정비례 관계다. 수익률이 높은 투자를 하려면 그만한 리스크를 감수해야 한다는 의미다. 허씨에 따르면, 부자들은 이런 원칙에 따라 포트폴리오를 구성해 수익과 리스크를 조절하지만, 일반 개미투자자는 무조건 내지르고 본다는 것이다. 그것도 남의 말만 듣고 투자를 한다. 좋은 종목에 투자하면 다행이지만, 거의 대부분이 이상한 종목에 집중된다. 경영진이 무슨 생각을 하는지도 모르는 극히 불투명한 기업에 투자를 하는 것이다.

"그런 종목은 눈으로 확인할 수 있어요. 허구한 날 증권소식지 같은데 나오잖아요. 툭하면 사업내용 바꾸고 이랬다저랬다 하는 회사들이 뻔하게 보이지요. 눈으로 볼 수 있는 것을 보지 않고 남의 말에 좌우되니까 이런 종목에 투자하는 거죠."

치과의사 길현진 씨 역시 "남의 입 냄새 맡아가면서 어렵게 모은 돈을 어떻게 남의 말만 듣고 투자할 수 있겠느냐"고 말한다.

"저도 증권사 지점장과 점심을 자주 먹어요. 여기 바로 아래층(길씨소유의 건물)에 증권사가 있잖아요. 보탬이 되는 얘기를 많이 듣습니다. 그렇지만 그 사람 말대로 따라 하지는 않아요. 당연하지요. 그 사람이야 제가 주식을 자주 팔고 사면 수수료를 벌 수 있지만, 저야 공연히 그 사람 도와주는 일만 할 수는 없잖아요."

길씨는 매일 한 통 이상의 투자 권유 전화를 받는다고 한다. 특히 부동산업자들에게서 걸려오는 전화가 많다. '좋은 땅이 있는데 조금 지나면 그 일대가 개발되면서 막대한 차익을 거둘 것'이라는 내용. 그러나 길현진 씨는 "그렇게 좋은 기회가 있는데, 왜 자기들이 투자하지 않고 다른 사람을 끌어들이겠느냐"면서, "시끄러운 곳에서는 돈 벌 기회가 없다는 것이 나의 첫 번째 원칙"이라고 말한다.

no.20 돈을 벌어주는 것은 머리가 아니라 발

"이상한 것은 사람들이 움직이지 않는다는 점이다.
돈을 벌고 싶어 안달을 하면서도 자기 동네 분양사무소도 가보지 않는다."
— 이준수(공인회계사) —

시중에 나와 있는 재테크 지침서 가운데 "돈이 없어도 돈을 벌 수 있다"고 주장하는 책들이 많다. 자기 돈 없이도 부동산을 사들이거나 주식에 투자해 고수익을 챙길 수 있다는 것이다.

한마디로 '아이디어'가 중요하다는 것인데, 미국 재테크 컨설턴트들이 집필한 책이 대부분 이런 내용을 담고 있다. 미국은 그런지도 모르겠다. 하지만 미국과 한국은 엄연히 다르다. 그런 흉내를 내기도 어렵거니와, 자칫하다가는 쇠고랑을 차거나 패가망신할 위험이 있다. 얄팍한 노하우만으로는 돈을 벌 수 없다.

우리나라 부자들은 "돈 없이는 돈을 벌 수 없다"고 말한다. 부자의 요체는 돈이 돈을 벌도록 하는 것이며, 이래서 모든 사업의 본질은 '금융업'이라고 이야기한다. 물론 아이디어로 떼돈을 버는 사람들도 있다. 남들이 흉내낼 수 없는 새로운 기술을 개발해 상품을 만들어 팔면 되는 것이다.

그러나 아이디어나 기술 역시 돈을 주고 살 수 있다. 미국 마이크로소프트를 세계적인 기업으로 만든 MS-DOS(컴퓨터 운영 소프트웨어)는 설립자 빌 게이츠가 개발한 것이 아니다. 빌 게이츠는 이 기술을 샀다. 아이디어가 없다면 돈을 마련하면 되는 것이다. 돈이 많으면 온갖 아이디어가 따라온다.

우리는 '좋은 아이디어나 기술력이 있는 제품이 나오면 곧바로 히트를 친다'고 생각하는 경향이 있다. 그러나 아무리 좋은 제품이 나와도 시장에서 그것이 받아들여지기까지는 오랜 시간이 필요할 때가 많다.

모든 가정에 놓여 있는 전자레인지만 해도 그렇다. 하루아침에 뚝딱 만들어져서 사람들에게 보급된 것이 아니다. 전자레인지가 보급되는 데는 13년이라는 세월이 걸렸다. 그동안 아이디어와 시제품이 먼지에 파묻혀 있었던 것이다. 아이디어는 기회일 뿐이다. 아이디어를 사업화해 돈을 버는 것 역시 샐러리맨이 한푼씩 모으는 것처럼 힘들기는 마찬가지다.

부자에게 30대는 다리품을 팔던 시기

100명의 부자 가운데 26명이 30대에 부자의 길로 접어든 것으로 나타났다. 물론 '부자의 길로 접어들었다'는 개념은 애매하다. 더구나 '어느 정도부터가 부자냐'에 대한 판단 기준이 부자들마다 조금씩 달랐다.

어떤 사람들은 "자기 집을 빼고 10억 원 이상 있으면 부자 축에 들 만

하다"고 하고, 다른 사람들은 "총 재산이 30억 원 이상은 돼야 부자"라는 얘기도 했다. 어쨌든 100명 중 26명은 "30대부터 일해서 버는 것 이외에 투자를 통해 벌어들인 수입이 많아졌다"고 응답했다.

특이한 점은 40대 이후에 부자가 된 사람들 역시 '부자 인생의 출발점은 30대'라고 이야기한 것이었다. 일부는 "결혼한 뒤에야 정신을 차려 돈을 모으기 시작했다"고 말했다. 결혼 이후 가족에 대한 책임감이 부자가 되려는 욕구에 불을 당긴 것이다.

이일환 씨는 "부자가 되는 환경을 만들어놓는 시기가 바로 30대"라고 말한다. 이때 안정적인 생활 기반과 투자 기반을 마련했고, 그 후 그것을 불려 부자가 되었다는 것이다. 30대는 어딜 가나 고객으로 대접받을 수 있는 나이다. 은행이나 증권사, 투자자문사, 부동산을 돌아다녀도 전혀 어색하지 않다. 금융기관의 경우 비슷한 또래의 직원들을 만나 깊숙한 이야기를 나눌 수 있다. 평소에 투자에 관심을 갖고 있다면 금융권의 전문용어를 소화해 내기도 쉽다. 무엇보다도 왕성한 호기심과 체력이 가장 큰 기반이다. 말 그대로 돈을 모으는 데 '한창인 시기'라는 것이다.

100명의 부자들에게 30대는 '다리품을 팔던 시기'였다. 대기업 상무이사로 재직 중인 최수용 씨는 "신도시 아파트 상가에 투자하기 위해 석 달이 넘게 돌아다녔다"고 회상한다. 1980년대 후반 분당·일산 등 신도시 개발붐이 일던 때였다. 대기업 과장이었던 그는 매주 토요일 오후와 일요일을 부동산 보러 다니는 데 썼다.

"상가를 분양 받으면 괜찮겠다 싶었습니다. 돈은 조금 있었는데 목

좋은 데는 턱없이 비싸더라고요. 그래서 제일 외곽에 있는 상가를 골랐어요."

최씨가 투자한 상가는 신도시의 가장 끝머리에 위치한 곳이었다. 아파트 몇 동과 상가를 빼면 아무것도 없이 휑하니 뚫린 황무지였다. 최씨는 '개발이 덜 된 곳이 오히려 낫다'는 생각을 했단다. 그 주변이 무엇으로 개발될지 알 수 없었다. 이 같은 예상은 정확하게 맞아떨어졌다.

"중도금 치르느라 고생을 했는데, 잔금 낼 때가 되니까 세상이 거꾸로 뒤집어지더군요. 그렇게까지 될 줄은 정말 몰랐어요."

상가 주변에 대형 건물이 잇달아 들어서면서 그 일대가 오피스 단지로 개발된 것이었다. 굴지의 대기업들이 사옥을 세우고 계열사들을 입주시키기 시작했다. 상가는 먹자 빌딩으로 탈바꿈했고, 최씨 소유의 점포 값도 천정부지로 치솟았다. 이 투자에서 재미를 본 최씨는 그 이후로 서울 근교의 신도시만 쫓아다니며 투자를 했고, 지금은 매달 1,000만 원 가량의 임대료 수입을 올리고 있다.

최수용 씨는 "자꾸 돌아다녀 봐야 부동산의 미래 가치가 보인다"고 말한다. 건물의 입지와 주변 교통여건, 추가 개발 가능성 등을 세밀하게 따져보면서 부동산을 보는 눈을 가져야 한다는 것이다. 최씨는 요즘도 휴일마다 신도시를 찾아다닌다.

부자들은 "한 살이라도 젊을 때 들개처럼 돌아다녀야 한다"고 입을 모은다. 돈은 아이디어가 아닌 실물이므로, 그 냄새를 맡을 수 있는 후각을 기르기 위해서라도 돈이 흐르는 곳에 뛰어들어야 한다는 이야기다.

"우리 직원들 중에 재간꾼들이 많지요. 어쩌면 그렇게 증권 부동산

정보에 빠삭한지 모르겠어요. 그런데 그 친구들이 돈을 벌었다는 얘기는 못 들어봤어요."

우리 곁에는 아이디어 넘치는 사람들이 많다. 그러나 이들 중 대다수가 훌륭한 아이디어에도 불구하고 빚에 쪼들려 살고 있다. 이들과 부자의 차이는 바로 실천이다. 돈은 말로 버는 것이 아니다. 다리품을 팔아야 냄새라도 맡을 수 있다. "내 몸값이 얼마인데 쓸데없이 돌아다녀?"라는 생각을 한다면 부자 마인드가 아니다.

부자들의 몸값은 의외로 싸다. 우리는 부자가 되겠다고 결심을 하지만, 눈앞에 있는 것만을 보는 데 익숙해 있다. 근처 부동산 앞을 지나다니면서 현재 살고 있는 아파트 시세만을 본다. 그 옆에 붙어 있는 상가 시세는 상관없는 것으로 취급한다. 장사를 생각하면서도 창업 박람회 한번 가보지 않는다. 신문광고를 보고 찜닭 집 개업을 생각한다. 그 광고를 혼자만 봤다고 생각한다면 큰 오산이다.

생각해 보자. 부동산 분양사무소를 찾은 적이 얼마나 되는가. 신종 금융상품을 알아보려고 금융기관에 들르는 편인가. 자꾸 몸을 놀려 움직이다 보면 무엇인가 가닥을 잡을 수 있을 것이다. 자신감도 함께 말이다.

변호사 · 의사라고 다 부자는 아니다

"젊을 때는 서로 비슷하다.
나이가 들면서 차이가 나기 시작한다. 모으는 사람과 쓰기만 하는 사람간에는."
— 박일문(은퇴) —

학생들의 이공계 진학 기피 현상이 심각한 사회문제로 떠올랐다. 대입 수능에서 수험생의 자연계 비중이 1995년의 43%에서 2002학년도에는 27%로, 7년간 16%나 줄어들었다. 반면 인문계 비중은 48%에서 56%로 늘었고, 예체능계는 9%에서 17%로 갑절 가량 늘었다. 고등학교 학급 편성에서도 이과반이 갈수록 줄어들고 있다.

사실 학생들의 이공계 기피는 어찌 보면 사회 변화의 한 현상으로 보이기도 한다. 국가과학기술자문회의 조사에 따르면 청소년의 39.6%가 의사, 변호사, 회계사 등 전문직을 선호하는 것으로 나타났다.

어떤 조사에 따르면 이른바 명문대의 이공계 학생 10명 중 4명 가량이 재학 중에 각종 고시를 준비한 경험이 있는 것으로 나타났다. 전공과는 관련이 없는 사법고시와 공인회계사(CPA) 시험 등이었다.

결국 세밀하게 살펴보면 문제의 본질은 '단순한' 이공계 기피가 아니다. 높은 소득이 보장되는 전문직업을 원하는 것이다. 학생들에게 영향을 주는 것은 그들의 부모다. 부모들이 보기에도 이공계를 졸업하고 엔지니어로 사는 것보다는 변호사나 회계사 같은 고소득 자격증 보유자가 되는 것이 백 번 낫다고 결론을 내린 셈이다.

그렇다면 '부자 스펙트럼'을 적용해 보자. 부모나 학생들이 생각하는 것처럼 전문직 사람들이 부자로 살고 있는지 말이다. 의사나 변호사, 회계사 같은 이른바 고소득 전문 직업인들이 과연 부자인지 따져봐야 한다. '삶의 본질이 자아 성취이므로, 돈과 결부시켜서만 볼 수 없다'고 주장한다면 어쩔 수 없지만 말이다. 물론 고소득을 보장한다는 전문직 선호를 자아 성취와 결부시키는 것 역시 어울리지는 않는다.

변호사 수임료는 껌 값

결론은 전문직 가운데 부자도 있으나, 그렇지 않은 사람도 많다는 것이다. 따라서 변호사나 회계사 같은 전문직이 '부자가 되는 지름길'이라고 생각해서 진로를 선택한다면 오산이다. 요즘 시중에 넘쳐나는 것이 바로 이런 전문 직업인들이다. 높은 소득은 고사하고 개업조차 하지 못해 끙끙대는 사람들이 많다. 이들이 샐러리맨에 비해 돈 벌 기회가 많은 것은 사실이다. 하지만 그것도 어떻게 하느냐에 달려 있다. 더구나 소득이 높다고 해서 부자는 아닌 것이다.

변호사 최병길 씨의 말을 들어보자. 그는 "변호사 수임료는 한마디로 겸 값"이라고 주장한다. "변호사 사무실 차려봐야 임대료에 직원 월급 주고 나면 남는 것이 없어요. 돈 나갈 일이 돈 들어오는 것보다 많지요. 변호사 일만으로 부자가 된다는 것은 한마디로 현실을 모르는 소립니다."

로펌을 제외한 대부분의 변호사 사무실은 지입제로 운영된다. 변호사들이 각자 벌어먹고 사는 시스템이다. 각 변호사들은 사무장 한 명과 여직원 한 명을 두고 일을 한다. 사무장의 월급은 꽤 많다. 월 300만 원 정도는 주어야 한다. 영업을 열심히 하는 사무장이라면 이보다 몸값이 훨씬 비싸다.

변호사가 소송을 맡아 한 달에 1,000만 원을 벌어들일 경우, 직원 월급과 월세를 지급하고 나면 400만 원밖에 남지 않는다. 하지만 매달 나가는 접대비가 300만 원을 훨씬 넘는다. 접대 없이 영업을 하기 어려운 것은 전문직 분야도 마찬가지다. 더구나 변호 의뢰가 매일 몇 건씩 몰려드는 것이 아니다.

가끔씩 큰돈을 만지기도 한다. 부동산 소유권을 둘러싼 분쟁을 맡아 변호 성공 보수로 소송가액의 50%를 받을 때도 있다. 이런 민사소송 의뢰는 돈이 된다. 그렇지만 이런 일이 자주 있는 것은 아니다. 소송에서 이길 확률보다 질 확률이 높을 때도 있고, 재판이 몇 달 만에 끝나는 것이 아니므로 오랜 시간 노력을 기울여야 한다.

최병길 씨는 "변호사 역시 돈을 모아서 굴려야만 부자가 될 수 있다"고 말한다. 수임료나 성공 보수 등을 차곡차곡 쌓아 스스로를 위한 투자를 해야 한다는 것이다. 그는 "변호사들이 큰 건을 처리하고는 펑펑 쓰는 경향도 없지 않은데 이거야말로 하루살이 인생"이라고 말한다.

최씨는 부동산과 채권, 주식에 두루두루 투자를 해놓고 있다. 변호사 사무실에서 생기는 수입은 용돈으로 쓰거나 저축을 한다. 주변의 부자 변호사들 역시 최씨와 다르지 않다고 한다. 변호사 수입만으로는 부자가 될 수 없다는 것이다.

정형외과 의사 김수홍 씨는 서울 외곽에서 17년째 병원을 운영하고 있다. 정형외과는 부자 동네보다 가난한 동네에서 잘된다는 것이 김씨의 말이다. 싸움도 많고 사고가 잦아 환자들이 많다. 그 지역 의사들은 한 달에 한 번씩 친목도모 모임을 갖는다. 화제는 대개 '돈 굴리는 방법'에 모아진다. 한 의사가 아파트를 비싸게 팔면 부동산 투자에 관심이 몰리고, 주식으로 목돈을 만진 의사가 생기면 온통 주식 투자 얘기로 달아오른다.

"의사들이 돈을 많이 버는 것은 사실이지요. 하지만 그렇게 벌어도 허덕대는 의사들이 많아요. 의사들에게는 의료장비 회사가 고리대금업자예요. 의료장비가 엄청 비싼 거 잘 아시죠? 그거 설치해 주고 매달 고리를 떼어가요. 그러다가 신모델이라고 바꿔주고 사채 이자를 받아가요. 의사 노릇하기도 쉬운 거 아닙니다."

김씨는 "의사 역시 그런 빚의 악순환에서 벗어나야 돈을 모으기 시작한다"고 말한다. 자신도 그렇게 개업을 했고 돈을 모아 건물을 사는데 6년이 넘게 걸렸다고 한다(6년 만에 4층 건물을 구입할 수 있었던 것을 보면 의사들의 수입이 많기는 많은 모양이다). 김수홍 씨는 "간호사들에게 짠돌이라고 욕을 먹으면서까지 돈을 아꼈다"며, "만일 그렇게 안 했다면 지금 이런 여유를 가질 수 없었을 것"이라고 말했다.

50줄을 넘긴 의사들은 항상 불안감에 시달린다. 나이가 들어 손이 떨리면 수술을 할 수 없으므로 젊은 의사를 고용해야 하는데, 그런 기반을 일찍 마련해야 은퇴 준비를 할 수 있다는 것이다. 김씨는 "의사라고 해서 모두 부자는 아니다"라며, "수입을 어떻게 관리하고 투자하느냐에 따라 부자 의사와 월급쟁이 의사로 나뉜다"고 강조했다. 김씨의 병원에도 3명의 월급쟁이 의사가 교대로 일을 하고 있다.

학교를 졸업하고 무엇이 되든, 세상은 이처럼 호락호락하지 않다. 세상에 편하게 돈 벌어 자동으로 부자가 되는 직업은 없다. 의사나 변호사가 되면 일반 샐러리맨에 비해 더 높은 소득을 올릴 수 있으나 지출 또한 만만치 않다. 전문 직업인 중에서도 돈을 제대로 관리하는 사람만이 부자가 되어 월급쟁이 전문 직업인에게 일을 시킨다.

우리 주변의 젊은이가 의사나 변호사가 되겠다고 결심을 한다면 당연히 격려를 해주어야 할 것이다. 그러나 그런 전문 직업인이 되는 것만으로 부자의 일생이 시작된다고 믿는다면 잘못된 판단이라는 충고도 해주어야 한다. 의사나 변호사가 된 것과 부자가 되는 것은 별개의 문제다. 부자가 되겠다면 다른 시작을 각오해야 한다.

탤런트나 영화배우 같은 연예인들도 다를 바 없다. 한때 잘나가던 인기가수가 지금은 미장원에서 가위를 들고 있는 장면을 TV를 통해 본 적이 있을 것이다. CF 한 편 출연해 수억 원을 벌 수 있겠으나, '돈이 나오는 구조'를 만들어놓지 못한다면 평생의 호구지책을 기약할 수 없다. 인기는 잠시뿐이다. 연예인들의 부업이 확산되는 것도 이런 걱정 때문이라고 보면 지나친 비약일까.

전문 직업인이든 아니든, 자기가 일한 소득만으로 먹고산다면 그 사람은 부자가 아니다. 부자는 손수 일을 해서 벌어들인 돈으로 생활하는 사람이 아닌 것이다.

기회는 눈뜬 자에게만 열린다

"사방에 기회가 널려 있다.
그것을 볼 줄 아는 안목이 중요하다."
— 함윤열(운송업) —

박경래 씨는 이를 악물고 부자가 되기로 결심한 사람이다. 40대 초반인 그는 어렸을 때 가난한 가정에서 자랐다. 그러한 그의 결심을 촉발한 것은 고등학교 시절의 담임교사였다. 박씨가 다녔던 고등학교는 사립재단이 운영하고 있었는데, 돈 문제에 관해서는 지독한 학교였다. 그 학교에 다닌 3년간, 수업료를 둘러싼 담임과 박씨의 실랑이가 거듭되었다.

"밀린 수업료를 내지 않으려면 학교에 오지 말라"는 담임교사의 협박에도 불구하고 박씨는 꿋꿋하게 등교를 했고, 그렇게 3년을 버텨냈다.

그런데 대입원서를 쓰던 날 사단이 나고야 말았다. 담임교사가 "수업료가 두 번이나 밀렸으니 원서를 못 써주겠으니, 빨리 수업료를 내라"며 박씨를 쫓아낸 것이었다. 모질게 추운 겨울, 박씨는 눈물을 흘리며 교문을 나섰다. 그리고는 '내가 돈 벌어서 이 학교 사버리지 않으면 사람이 아니다' 라는 결심을 했다. 여유가 있는 외삼촌에게서 돈을 빌려 수업료를 냈다. 대학에 합격했지만, 박씨는 한 학기만 마친 채 학업을 중단했다. 그리고 군대에 다녀와 사업전선에 뛰어들었다.

박경래 씨는 한 학기 동안 다닌 대학 근처의 상권에 눈독을 들였다. 그 학교 학생뿐만 아니라 온갖 젊은이들이 몰려들면서 '지역 중심지'로 변모하고 있다는 느낌을 받은 것. 두 달 동안 그 일대를 휘젓고 다니면서 무슨 장사가 잘되고, 젊은이들이 어떻게 소비를 하는지 살펴보았다. 그러다가 사업정리 안내가 붙어 있는 옷가게를 하나 발견했다. 너무 점잖은 캐주얼 의류만 취급하는 바람에 젊은이들이 외면했을 것이란 판단이 섰다. 그 일대 젊은이들의 스타일과는 전혀 어울리지 않는 의류들을 팔고 있었다. 박씨는 그 가게를 인수하자고 외삼촌을 설득했다. 박씨가 운영을 하고 수익을 절반씩 나누는 것으로 협상을 타결 지었다.

가게를 넘겨받자마자 아이템을 바꾸었다. 동대문시장(지금은 대형 쇼핑몰 중심으로 탈바꿈했지만, 그 당시는 전형적인 시장이었다)에서 요란한 의류들을 가져다가 진열을 했다. 반응은 가히 폭발적이었다. 그때는 이른바 '불량 청소년 패션'이 유행하기 시작하던 때였다.

외삼촌은 1년도 안 되어 투입자본을 회수했고, 박씨는 가게를 숙모에게 넘긴 뒤 그간 벌어들인 돈으로 독립을 했다. 바로 옆에 새로운 가게를 냈다. 두 번째 아이템은 액세서리였다. 동대문시장 상인에게 소개받은 디자이너를 통해 저가형 금속 액세서리를 공급받았는데 이것 역시 불티나게 팔렸다.

박씨는 10년간 그 대학 일대에서 젊은 층을 대상으로 장사를 했으며, 지금은 동대문의 쇼핑센터에 임대점포 6개와 직영점 3개를 가지고 있다. 주력을 임대업으로 바꾼 셈이다. 10년 넘게 동대문을 드나들다 보니, 그곳의 변화가 눈에 들어왔다는 게 박씨의 설명이다.

부자는 동네 발바리다

은행원이었던 김재진 씨는 서울 변두리의 토박이다. 학창 시절부터 그의 별명은 '꽁생원' 이었다고 한다. 10원이라도 빌려주면, 반드시 받아내는 끈질김에 친구들이 넌더리를 냈다는 것. 워낙 돈을 밝히는 바람에 '수전노' 로 불리기도 했다. 그가 은행에 취직했을 때, 친구들은 전부 '그럴 줄 알았다' 는 반응이었다. 그의 담당업무도 하필 연체 독촉이었다.

1980년대 중반, 결혼을 앞둔 그는 서울 시내 한 지점에서 일을 하고 있었다. 입사 동기 모임에 나갔다가 본점의 기업고객 담당자로부터 자기 집 근처의 공터에 아파트 단지가 생긴다는 사실을 전해 듣게 되었다. 모 건설사가 은행 대출을 추진하고 있다는 정보였다. 그 공터 주변은 김씨가 훤하게 알고 있는 곳이었다. 그렇지 않아도 '저 정도면 아파트를 지어도 좋을 텐데' 라고 생각했던 적이 있었다.

김씨는 재빨리 머리를 굴렸다. 결혼을 서두르기로 했다. 은행에 주택자금 대출을 신청했다. 지금은 이런 제도가 희석됐으나, IMF 이전까지만 해도 각 은행들은 직원이 주택자금을 신청하면 거의 공짜나 다름

없는 낮은 금리로 장기 대출을 해주는 직원 복지 시스템을 가동하고 있었다.

김재진 씨는 자신이 모은 돈에 은행 대출금을 합쳐 공터에서 가장 가까운 단층 주택을 구입했다. 집 주인도 아파트가 건설된다는 사실은 알고 있었다. 그러나 "공사가 시작되면 먼지 소음이 심하고, 빛도 들지 않을 텐데"라며 오히려 김씨를 걱정해 주는 것이었다. 지금은 이런 사람이 없을 것이다. 하지만 당시에는 사람들이 이 정도로 순진했다는 게 김씨의 말이다. 마지막으로 부모님을 설득해 그 옆집을 사서 이사하도록 했다.

그렇게 3년이 흘렀고 10개 동 규모의 아파트 단지가 완공되었다. 다시 2년 후, 김씨와 부모님의 집은 헐렸고 그 자리에는 대형 갈비집이 들어섰다. 물론 주인은 김재진 씨다. 매주 주말이면 문전성시를 이룬다. 평일에도 동네 부인들의 계모임 장소로 각광을 받고 있다. 그 땅 값만 해도 30억 원에 육박한다.

부자들은 '동네 발바리' 다. 동네를 속속들이 누비고 다니는 습관을 가지고 있다. 자신의 주변에서 기회를 찾는다. 낱낱이 파악한 정보로 승부를 걸고 성공의 발판을 마련한다. 또한 '잘 아는 곳' 에 투자를 한다. 남들의 성공에 부화뇌동하지 않는다. 친구가 어떤 아이템으로 한 밑천 건졌다고 자랑을 한들, 그들과는 상관없는 일이다. 부자에게는 부자만의 기회가 있다. 지금 하고 있는 일, 살고 있는 동네에 무수한 기회가 넘실거리고 있다.

그러나 주변에 아무리 기회가 널려 있다 해도 그것을 볼 눈이 없으면 이것 역시 의미 없는 일이 되어버린다. 기회는 눈을 뜬 사람에게만 보이기 때문이다. 부자가 되기 위한 습관을 기르고 실천하지 않는 이상, 부자의 안목을 가질 수 없다.

부자들의 돈벌이 중 가장 많은 것은?

"눈을 뭉치는 것을 보자. 처음에는 힘들게 다져야 하지만, 일정한 크기로 뭉쳐놓고 나면 서서히 굴려도 금방 불어난다."
— 최진형(임대업) —

　내가 수십억대 부자라면 어떻게 먹고살까? 아직 부자가 아닌 사람들은 가끔 이런 공상을 즐긴다. 주변의 샐러리맨 10명에게 물어보았다. "은행에 넣어 두지 뭐, 10억 원이면 한 달 이자가 내 월급보다 많은데" 하며 8명이 '은행이자로 여생을 편하게 보내겠다'고 응답했다. 은행이자만으로도 먹고사는 데는 충분하다는 것이다. 1명은 이민을 가겠다고 했고, 나머지 1명은 잘 모르겠다고 대답했다.

　그렇다면 부자들은 어떨까. 이들 역시 은행에 거액을 넣어놓고 그 이자를 받아 생활하고 있을까. 물론 그런 사람도 있을 수 있다. 하지만 100명의 부자 가운데 그렇게 사는 사람은 없었다. 이들의 수입원 가운데 1위는 단연코 부동산 임대료 수입이었다. 100명의 부자 중에서 88명이 임대료 수입을 소득 비중 1위로 꼽았다. 이들 88명은 간혹 주식 투자를 통해 벌어들인 금액이 임대료 수입보다 많을 때도 있지만, 대개는 임대료가 가장 높은 비중을 차지하고 있다고 응답했다.

그래도 부동산이 제일 좋은 투자 대상

자영업을 하는 김대식 씨는 "우리나라처럼 땅덩이가 좁은 나라에서는 부동산만큼 효율적인 투자 대상이 없다"고 말한다. 온갖 사람들이 서울로 몰려드는 반면, 나눠 가질 공간에는 한계가 있기 때문에 부동산이 안정적인 수익을 보장해 준다는 것이다.

김대식 씨는 5채의 다가구주택과 3개의 점포를 소유하고 있다. 그 중 한 점포에서는 손수 음식점(일본식 돈가스)을 경영하고 있다. 지난 24년간 음식점을 하면서 돈을 모아 차근차근 부동산을 사들였다. 5채의 다가구주택에는 총 32세대가 살고 있는데, 김씨는 전세를 놓지 않고 이들에게 월세를 받고 있다. 전세값을 받아봐야 투자할 만한 곳도 없다는 것이 그의 설명이다. 금리가 낮기 때문. 김씨는 주식 투자를 하지 않는다.

부자들은 소득 비중 1위인 임대업에 이어 소득 비중 2위로 '운영하는 회사 또는 사무소, 점포(병원 등 포함) 등에서 나오는 수입'을 꼽았다. 운영하는 사업에서 발생하는 수익이 가장 많다고 응답한 사람은 5명이었는데, 이 중 2명은 사채업을 하고 있었다. 사채업은 개인 금융업의 특성을 갖고 있어 다른 부류와 동일하게 보기는 곤란하다. 어쨌든 그들과 별도로 직접 운영하는 점포나 회사 등에서 나오는 수입이 두 번째로 많다고 응답한 사람이 38명이었다.

소득 비중 3위로는 증권(주식·채권) 투자를 들었다. 78명이 증권사와 거래를 트고 직접 투자를 하거나 펀드에 가입해 수익을 올리고 있었다. 시황이 좋지 않을 경우 주식에서 손실을 볼 때도 있지만, 괜찮은 투자 대상이라는 응답을 했다. 매매차익뿐만 아니라, 배당수입을 기대하는 사람도 많았다. 부유층을 대상으로 한 증권사의 종합자산관리 서비스를 받고 있는 사람도 15명이었다. 이러한 증권 투자로 벌어들이는 소득 비중이 가장 크다고 대답한 사람은 7명이었다. 그리고 13명이 채권 또는 주식 투자를 통한 수익 비중이 2위를 차지한다. 샐러리맨들과는 달리, 부자들은 채권 투자도 많이 한다.

은행 등의 이자 수입이 그 다음이었고, 맨 마지막이 재직 중인 회사에서 나오는 월급(전문경영인 또는 회사원)이었다.

김대식 씨는 어느 정도 목돈이 모이면, 월세를 받을 수 있는 조그만 부동산을 사는 것부터 시작하는 것이 좋다고 말한다. 안정적인 투자 수입을 올릴 만한 곳에 투자를 하라는 것이다. 그렇게 해서 현금 수입을 늘린 다음에 더 큰 기회를 차근차근 만들어가야 한다는 얘기. 그는 1억 원이면 대형 쇼핑센터의 1구좌 정도를 살 수 있는데, 여기서 매달 임대료를 받으면 그것이 은행이자보다 훨씬 많다고 설명한다.

가장 많은 부자 직업은 셋방 주인

부자들은 한마디로 셋방 주인이다. 그 셋방의 규모에 따라 주인의 재산이 수억 원에서 수십~수백 억원으로 나뉜다. 서울 변두리 골목을 돌아다니다 보면 집을 허물고 다시 짓는 공사 현장을 숱하게 발견할 수 있다. 백이면 백, 단독주택을 부수고 다가구 또는 연립(다세대) 주택으로 바꾸는 작업이다. 그 주인들은 집 한 칸 없는 샐러리맨에 비해 엄청난 부자다. 규모 있는 4층짜리 다가구주택 소유자는 부채가 없고 욕심을 부리지 않는 이상, 월세 수입만으로 여생을 즐길 수 있다. 매년 서울로 상경하는 수많은 젊은이가 이곳에서 살림을 차리고 월세를 낸다.

다가구주택 소유자보다 큰손은 매장 주인이다. 부동산업을 하는 방준형 씨가 쇼핑몰 지하 1층에 가지고 있는 4평짜리 점포는 시가 5억 원에 이른다. 웬만한 중형 아파트보다 비싸다. 화장품 가게에 세를 놓고 있는데 보증금이 1억 원이고 월세가 500만원이다. 젊은 여성이 많이 몰리는 곳이어서 화장품 장사가 잘된다. 방씨는 그런 점포를 여러 개 가지고 있다.

가장 큰 세를 놓고 있는 부자는 상업용 빌딩 주인이다. 사업자들을 대상으로 월세를 받는다. 동네 전철역 앞의 허름한 빌딩이라고 해서 우습게 보면 큰코다친다. 그런 빌딩도 20억 원이 넘는 경우가 많다. 서울 강남지역의 고층 빌딩은 두말할 필요가 없다. 우리가 아무 생각 없이 지나치는 그런 빌딩에도 엄연히 주인이 있다. 회사 소유 건물도 있지만, 개인 명의로 되어 있는 것도 많다.

이처럼 우리가 가장 흔하게 볼 수 있는 부자는 다름 아닌 셋방 주인의 모습이다. 신문에 자주 등장하는 기업 오너만이 부자가 아니다. 기업을 세워 성공하는 것은 매우 확률이 낮은 게임이다. 신설 기업이 5년 이상 살아남을 확률은 4% 미만이다. 대개는 망하고 만다. 물론 성공의 확신이 있다면 도전해야 할 것이다. 뚜렷한 아이템이 없다면 기업을 설립해 운영하는 것보다 조그만 셋방 주인부터 시작하는 것이 훨씬 쉽지 않을까.

　방준형 씨는 그의 주변에도 은행에 목돈을 넣어 놓고 이자 받아서 편하게 살지, 왜 힘들게 사느냐고 묻는 사람들이 많다며 웃는다. 세입자들을 관리하는 것이 괴로울 때가 많다는 것이다. 하지만 그는 그렇게 말하는 사람들도 입장이 바뀌면 월세 수입을 더 선호할 것이라고 이야기한다. 부자가 아니기 때문에 부자 사정을 모른다는 것이다.

　"은행에 돈을 맡기면 이자밖에 붙지 않아요. 부동산을 사면 일부는 보증금으로 다시 들어오지요. 게다가 은행이자보다 높은 월세를 받지요. 비교가 안 됩니다. 더 중요한 것은 부동산은 그것 자체의 가격이 오르지만, 돈 값은 오르는 일이 거의 없어요. 그래서 부동산 사서 세를 놓는 겁니다."

　돈을 몽땅 은행에 넣어 놓고 그 이자를 받아 생활한다는 것은 부자들에게 상상하기 어려운 행동이다. 부자의 반대편에 서 있는 사람들의 공상일 뿐이다. 부자를 모르면 부자가 되기 어렵다. 집 주인이 나쁜 사람이라고 욕하기에 앞서, 그들이 어떻게 살았기에 셋방 주인으로 성공할 수 있었는지 살펴보는 것은 어떨까.

사업 성공의 가장 큰 비결은 자금관리

"고스톱에서 중요한 것은 점수를 내느냐 못 내느냐다. 그 다음이 관리다.
크게 따지 못한 것처럼 보이는 사람이 나중에 뭉칫돈을 세는 경우를 종종 본다."
— 우상기(기업체 고문) —

사업체 설립(자영업 포함)을 통해 성공한 사람들에게 '사업에서 성공의 비결을 꼽는다면 가장 중요한 것은 무엇이겠습니까?' 라는 질문을 던져보았다.

예상 답변으로는 5가지를 제시했다. ① 경쟁력 있는 기술 및 아이템 개발 ② 거래처(고객)에 대한 적극적인 영업 ③ 회사 구성원들의 열의 ④ 효율적인 자금관리 ⑤ 지속적인 재투자

어떤 답변이 많이 나올지 궁금했다. 경쟁력 있는 아이템일까, 아니면 적극적인 영업일까. 예상 외로 '효율적인 자금관리'를 꼽은 경영자가 많았다. 이 질문 항목에 답변한 42명 가운데 27명이 자금관리가 가장 중요하다고 지목했다.

"자영업이나 조그만 사업체를 차리고 나면 안정만큼 중요한 게 없어요. 자금력이 약하기 때문에 작은 충격만 받아도 무너지기 십상입니

다. 그래서 첫째도 안전이고 둘째도 안전입니다."

저축은행을 세워 운영하고 있는 최충호 씨의 말이다. 최씨는 "조급하게 회사를 키우려고 무리를 했다가는 얻는 것보다 잃는 것이 많다"면서, "되도록 부채를 지지 않고 내실 있게 굴리다 보면 그 이력이 쌓여서 알토란 같은 사업체가 된다"고 말한다.

꾸준한 노력이 성공으로 이어지는 것이지, 한두 번 반짝했다고 해서 그것이 성공의 밑거름이 되는 것은 아니라는 얘기다.

최충호 씨는 저축은행을 세우기 전에 제조업체를 차렸다가 실패한 적이 있다. 그는 실패의 원인으로 '방만한 자금관리'를 꼽았다. 공장 부지를 물색해 건물을 짓고 설비를 들여놓은 것까지는 좋았는데 '사람 욕심'을 부린 것이 화근이었다고 했다.

1급 엔지니어 몇 명을 스카우트해서 이전 직장에 비해 20%나 많은 월급을 주었고, 덩달아 다른 사람들까지 처우를 높여주면서 인건비 부담이 크게 늘어났던 것. 1급 엔지니어들이 설비에 대해 불만을 제기하자 값비싼 장비를 새로 들여오기도 했다. 결국 제품 시험 생산을 마치기도 전에 자금난에 처하게 됐다.

"조그만 기업에서 제일 부담스러운 것이 인건비라는 것을 뒤늦게 깨달았어요. 월급쟁이 시절 내가 받을 때는 쥐꼬리 수준이었는데, 직원들에게 주는 월급을 합쳐보니까 엄청나더군요. 직원들이야 월급만 생각하지만 회사로서는 의료보험 같은 간접비용을 감안할 수밖에 없어요. 이리저리 합치면 전 직원 월급의 1.5배 가량이 간접 경비입니다. 회사에 들어오는 돈은 없는데 나가기만 하니…. 돈 구하러 쫓아다니다가

스스로 평가하는 성공 비결 : 사업체(자영업 포함) 설립을 통해 성공한 경우

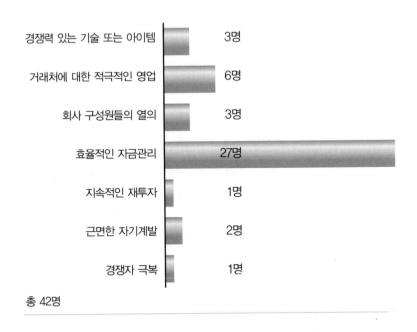

경쟁력 있는 기술 또는 아이템　　3명

거래처에 대한 적극적인 영업　　6명

회사 구성원들의 열의　　3명

효율적인 자금관리　　27명

지속적인 재투자　　1명

근면한 자기계발　　2명

경쟁자 극복　　1명

총 42명

포기했지요. 20년간 모은 돈을 다섯 달 만에 모두 날렸지요."

최씨가 다시 사업전선에 나섰을 때는 자린고비로 변해 있었다. 사무실 집기는 중고 가구 시장에서 사다 날랐고, 고급 인력보다 월급을 적게 주어도 불만이 없을 만한 사람들만 추려 모았다. 그 당시 은행 구좌에서 돈이 나갈 때마다 가슴이 철렁했다는 것이 최충호 씨의 기억이다.

"그렇게 버티고 또 버티다 보니까 회사가 흑자를 내더군요. 은행에 돈이 많이 쌓여서 지점장이 감사패를 주기도 했고요. 역시 돈 관리가 제일 중요해요."

최씨는 회사가 자리를 잡자 다른 사람에게 팔고, 주변 사람들과 함께 저축은행을 설립했다. '기름 냄새 안 맡는 일을 해보자'는 것이 동기였다고 한다.

세상에 갑자기 유명해지는 기업이란 좀처럼 없다. 혜성처럼 등장한 기업치고 그 영광을 오랫동안 이끌어 가는 기업을 찾기는 쉽지 않다. 특히 갑자기 유명해진 기업 가운데 상당수는 주가 조작 등의 불법행위로 많은 사람들에게 피해를 입히기도 한다.

밑바닥에서 무명의 세월을 거쳐 기본체력을 다진 후에야 세상 사람들의 주목을 받는 알짜기업으로 등장하는 것이 예외 없는 법칙이다. 좋은 아이템을 개발해 적극적으로 영업하는 것도 성공으로 가는 길임에는 틀림없다. 하지만 치밀한 내부 관리가 뒷받침되지 않는다면 제 아무리 좋은 아이템이라도 돈을 만들어내지 못한다. 벌어봐야 소용이 없다. 돈이 나가는 출구가 더욱 크기 때문이다.

그래서 성공은 환한 대낮에 다가오지 않는다. "꾸준한 노력과 관리가 쌓이게 되면 어느 누구도 모르는 사이 슬그머니 곁에 와 미소짓는 것이 성공이다"라고 부자들은 말한다.

부자들에게 도움을 얻는 방법

"내가 좋아하는 사람들도 부자였으면 좋겠다.
같이 여행을 다니고 골프도 치면 즐거울 것이다."
— 설종관(포목점 및 임대업) —

부자들은 마음씨가 고운 사람들은 아니다. 남들이 부자가 되든 말든 신경을 쓰지 않는다. 그런 이기심이 부자들로 하여금 더욱 부자이게 하는 활력소가 되는 것 같다. 하지만 부자들에게도 남을 측은하게 여기는 마음이 전혀 없는 것은 아니다.

부자들은 다른 사람을 부자로 이끌기도 한다. 부자가 아닌 사람에게 충고와 조언을 해주고 때로는 물질적인 지원까지 아끼지 않는다. 그렇다고 해서 주변의 모든 사람을 돕는 것은 아니다. 부자의 싹수가 보이는 사람, 부자가 되기 위해 노력하는 사람만을 지원한다. 따라서 스스로 열심히 살지 않는 이상 부자의 도움을 얻을 수 없다.

부자들이 지나치듯 던지는 이야기를 흘려 들어서는 안 된다. 왜 그런 이야기를 하는지 새겨 들어야 한다. '내가 그걸 몰라서 그러나? 돈이 없는데 어쩌란 말야.' 또는 '부자면 다야? 남의 사정도 모르면서 말은 잘 하네.' 하는 식으로 넘겨버린다면 아무것도 배우지 못한다. 그런 사람들에게는 돕고 싶은 마음이 굴뚝 같은 부자들이더라도 이내 포기하고 만다.

부자를 만들고 싶은 부자도 있다

한영수 씨가 부자를 키운 케이스다. 한씨는 전문상가에서 공구 장사를 해서 부자가 된 사람이다. 공구 장사라고 해서 우습게 보면 큰코다친다. 점포의 연간 매출이 20억 원을 넘는다. 주로 기업체에 납품을 하는데, 한씨는 그런 점포를 3개 가지고 있다. 그 일대의 '큰손'인 셈이다.

주변 사람들은 한씨를 '회장님'이라고 부른다. 상가번영회 회장을 여러 차례 맡았다는 이유도 있다. 그러나 한씨가 사장을 여럿 키워냈다는 측면이 더욱 크다. 자신이 거느리고 있던 직원 4명이 창업을 하는 데 도와준 것이다. 그 4명이 각각 가게를 차려 사장이 되었다.

그 일대 상가에서 한씨의 영향력은 막강하다. 총 8개(한씨가 키운 염모 사장의 점포 2개 포함)의 점포가 실력을 행사하면 어느 누구도 맞설 수 없다는 것이다.

"24년간 공구 장사를 하면서 줄잡아 300명이 넘는 직원을 겪었어요. 처음에는 나도 먹고살기 힘들어서 직원들에게 신경을 못 썼는데요. 가게가 잘 되니까 직원들 사는 모습이 눈에 들어오더군요. 잔소리도 많이 했어요. 술 먹지 말고 저축을 하라고요. 그래도 소용이 없어요. 소 귀에 경 읽기였죠. 어쩌다가 마음에 드는 친구들이 있었는데, 그게 지금 여기서 장사하는 사람들이죠."

한씨의 마음에 든 사람들의 공통점은 성실하다는 것. 가게에 일찍 나와 청소를 하고 손님들을 깎듯이 대하는 것이 눈에 띄었다. 궂은 일을 시켜도 불평이 없는 사람들이었다고 한다. 다만 돈을 모을 줄 모르는 것이 흠이었다. 한영수 씨는 직원들이 그렇게 사는 것이 답답해 보였다고 한다. 그래서 직원들에게 제안을 했다.

"너희 월급을 내게 맡겨라. 내가 관리를 해서 불려주겠다. 대신 너희들은 용돈만 타가라."

대부분은 거절했으나 몇몇 직원이 동의했다. 한씨는 월급의 30%를 용돈으로 내주는 대신, 그들을 자신의 집으로 받아들였다. 숙식을 해결해 준 것이었다. 그들을 반지하층에서 살도록 했다. 거절한 직원들은 사장이 월급을 떼어먹을지도 모른다는 의심을 했을 것이다.

이렇게 도운 직원 전부가 목돈을 장만한 것은 아니었다. 그 중에서 상당수가 중도 탈락했다고 한다. 집에 우환이 생기거나 기타 여러 가지 이유로 가게를 그만두고 떠났다. 한씨는 그들의 돈을 불린 뒤, 고참 직원부터 가게를 장만해 주기 시작했다. 돈이 모자라면 차용증을 받고 빌려 주었다.

한씨는 "비슷하게 출발해도 사람마다 차이가 큰 것 같다"고 말한다. 당초 가게를 내준 직원은 7명이었는데, 그 중에서 3명은 망하거나 팔아치우고 떠났다고 했다.

"내 밑에 있을 때부터 장사 수완이 대단했던 친구가 바로 염 사장이죠. 될성부른 나무는 떡잎부터 알아본다니까요."

한씨의 경우는 매우 드문 일에 속한다. 대부분의 부자들은 이처럼 세심하게 신경을 써가며 남을 돕지는 않는다. 자신에게 이득이 된다는 셈을 하고 나서야 남을 도와준다. 따라서 자신에게도 좋고, 부자에게도 좋은 일을 만들어야 한다. 또한 그것을 성취하기 위한 절실한 노력을 기울여야 한다. 부자에게 보여주기 위한 쇼는 사기로 이어질 공산이 크다. 부자들은 사기꾼을 발견하는 데는 전문가들이다. 신뢰가 깨지고 나면 거들떠보지도 않는다.

혹시 주변에 부자가 있다면 그의 말에 귀를 기울이는 것이 좋다. 부자가 잔소리를 하는 것은 당신을 도울 의사가 있다는 것이기 때문이다. 싫은 기색을 보인다면 그것으로 기회는 끝이 난다. 그들이 관심을 열어놓았을 때 밀고 들어가 노하우를 배워야 한다.

부자들의 마음씨는 곱지 않다. 그러나 노력하는 사람을 돕고, 그 성공의 과정을 함께 만끽하는 부자가 없는 것은 아니다.

주식으로 확실하게 돈 벌 수 있는 방법

"돈, 나를 얽매이지 않게 하는 함"
― 최병길(변호사) ―

"나, 주식으로 돈 좀 만졌다. 오늘 내가 계산하마."

저녁 모임에 나간 직장인들에게 가장 반가운 말이다. 이런 얘기를 하는 사람은 좌중의 부러움을 산다. 얼마나 벌었느냐, 무슨 주식을 샀느냐, 한 수만 가르쳐달라는 아우성에 파묻히기도 한다.

하지만 "오늘 술값은 내가 계산한다"면서 분위기를 돋우는 사람치고, 주식 투자로 큰돈을 벌었다는 후일담을 듣기는 사실 어렵다. 주식시장이 한참 달아오를 때는 '이 종목이 어떻다'면서 나름대로 견해를 피력하기도 한다. 반면 주식시장이 고꾸라지면 '손 털었다. 다시는 안 한다'며 전혀 다른 입장을 취하기도 한다.

은행돈을 빌려 투자를 했다가 큰 손실을 입었다는 친구들의 소식을 주변에서 심심지 않게 전해 듣게 된다. "용돈 벌이라서 부담 없이 굴렸더니 쏠쏠하더라"고 얘기하는 사람들도 있다. 그럴 수도 있다. 그렇게 굴려서 술값에도 쓰고, 사고 싶은 것을 살 수 있다면 흐뭇한 일이다.

헌데 욕심이란 것이 문제다. 용돈 수준으로 굴리던 사람들도 주식시장이 대박 열풍으로 달아오르는 순간 변신을 한다. 있는 돈을 다 끌어모으거나 빚을 내서 증권사 객장으로 달려간다. 주가가 빠지면 '물타기*'를 해서 다시 오르기를 학수고대하지만, 이것도 요원한 일이다. 결국 항복을 하고 주식을 처분한 뒤 낙심하게 된다. 특히 대부분의 직장인들은 주가가 한참 오르면 뒤늦게 주식시장에 발을 들여놨다가 끝내는 발을 빼지 못하고 어려움을 겪는 경우가 많다.

주식은 얼마에 사느냐가 가장 중요

부자들은 "주식을 해서 돈을 확실하게 벌 수 있는 방법이 있다"고 말한다. 건물 임대업을 하는 최진형 씨가 그런 사람이다. 15층 규모의 빌딩 꼭대기 층에 있는 그의 사무실 책상에는 1대의 컴퓨터와 2대의 액정화면이 놓여 있다. 화면에는 <edaily>의 뉴스와 증권사 홈트레이딩 시스템(HTS)이 켜져 있었다.

"데이 트레이딩(day trading)**을 하느냐"고 물었더니, "그냥 보고 있는 것뿐"이라고 대답한다. 최씨는 주식 투자를 통해 꽤 많은 돈을 벌었다고 했다. 그런데 1년에 한두 번밖에는 매매를 하지 않는다고 한다.

"사람들은 주식을 갖고 있다가 높은 값에 팔아야 돈을 번다고 생각하는데요. 사실은 그렇지 않아요. 주식을 얼마에 사느냐가 가장 중요합니다. 돈을 벌고 못 벌고는 이미 살 때 결정이 나는 것입니다. 주식에는 엄연하게 한계 값이 있어요. 그래서 그 이상으로 올라가는 게 쉽지 않습니다. 시황이 좋지 않을 때 매수 타이밍을 잡아야지요. 언젠가는 오를 테니까 사놓고 기다리기만 하면 되지요. 알고 보면 주식 투자란 게 그리 어렵지 않습니다."

질문 : 시황이 좋지 않을 때 주식을 사라는 말씀이군요. 그렇다면 파는 시점은 어떻게 잡나요?

답변 : 그러니까 처음 살 때부터 목표를 정해놓아야지요. 그런 다음 목표치에 도달하면 뒤도 돌아보지 말고 가차없이 팔아야 합니다. 미련을 갖고 있다가는 손해를 볼 수도 있어요.

질문 : 목표치를 정한다는 것이 애매한 것 아닙니까? 그리고 주가가 계속 오르는데 쉽게 팔 사람이 얼마나 되겠어요. 더 오를지도 모르는데요.

답변 : 저도 그러다가 몇 번 혼이 났어요. 그 교훈을 깨달을 때까지 자기 수련을 할 수밖에 없지요.

질문 : 잘 이해가 안 되는데요. 최근에 주식 투자로 돈을 번 경우를 좀 상세하게 말씀해 주시죠.

최진형 씨는 2001년 9월 11일, 미국 뉴욕 테러가 발생하자마자 무릎을 치며 '옳거니' 했다고 털어놓았다. 9·11 테러로 가족을 잃은 사람에게는 미안한 일이지만, 그 당시에는 공포심리가 주식시장에 무겁게 내려앉았다. 자칫하면 공황으로 이어질지도 모른다는 섣부른 관측까지 제기됐다.

최씨는 그럴 리가 없다고 단정했다. 소련연방이 붕괴된 뒤로 미국에

필적할 만한 나라가 없는데, 큰 전쟁이 일어날 수 없다는 것이 그의 생각이었다. 최씨는 '미국 언론이 일부 회교집단의 소행으로 몰아가고 있는 것을 볼 때, 대규모 전쟁 가능성은 거의 없다'고 결론을 내렸다.

그리고 이때 주식을 사들여 그 이듬해에 팔았다고 한다. 처음에는 정확한 언급을 회피했지만 "테러가 터진 다음날 샀다가 종합주가지수가 850이 되기만을 기다렸다"고 말했다.

투자 금액은 밝히지 않았으나, 자신이 투자했던 몇몇 종목을 생각나는 대로 불러주었다. 삼성전기와 삼성중공업, 현대자동차, 평화산업, LG건설, 전기초자, 한국유리, 동양화재 등이었다.

그의 이야기를 토대로 주가 흐름을 역추적해 보았다. 테러 발생 다음날인 9월 12일의 종합주가지수는 475.60이었다. 최씨가 850선에서 모두 처분했다고 했으니, 처분 기준일은 지수가 856.86에 도달한 2002년 3월 14일 무렵이 될 것이다.

물론 그 이후에도 주가는 계속 치솟아 4월 18일에는 지수가 937.61에 이르렀지만, '목표에 도달하면 가차없이 처분한다'는 최씨의 주장대로 추측해 볼 때 그때까지 갖고 있었던 것으로 보이지는 않는다.

삼성전기의 2001년 9월 12일 종가는 3만 2,500원이었다. 그리고 2002년 3월 14일의 종가는 6만 9,400원이었다. 2배가 넘는 수익이 발생한 것이다. 삼성중공업도 3,290원에서 5,270원으로 치솟았고, 현대자동차는 1만 8,800원에서 3만 9,950원으로 100%가 넘는 상승률을 기록했다.

평화산업은 1,615원에서 3,600원으로 치솟았다. 한국타이어는 2,010원이 3,055원이 됐고, LG건설도 1만 1,000원에서 1만 5,650원으로 올랐다. 한국타이어와 LG건설의 경우 다른 종목에 비해서는 재미가 덜했던 셈. 전기초자는 5만 4,300원이 9만 3,400원으로 뛰어올랐고, 한국유리는 1만 5,350원에서 2만 2,450원으로 치솟았다. 동양화재 역시 4,580원이 3배가 넘는 1만 8,450원으로 올랐다.

최씨가 어느 정도의 자금을 가지고, 이들 종목에 어떻게 배분했는지는 알 수 없다. 그는 단지 "주식을 살 시점에서 그런 종목이 싸다는 생각이 들어서 샀을 뿐"이라고만 이야기했다. "돈이 넉넉지 않아서 비싼 주식은 손을 대지 못했다"는 것이 최씨의 푸념(?)이었다.

하지만 최씨를 소개해 준 은행의 차장은 "최진형 씨가 통상적으로 10억 원 정도를 주식에 투자하는 것으로 알고 있다"고 했다. 최씨의 종목별 투자 비중을 확인할 수는 없으나 대략 100%에 가까운 총수익률을 올린 것으로 볼 수 있겠다. 그렇다면 10억 원을 굴려 6개월 만에 10억 원을 더 만들어냈다는 얘기가 된다.

최씨 주변에는 10억 원 이상을 현금성 자산으로 가지고 있다가, 주식시장에 큰 변동이 일어나면 재빠르게 주식에 투자하는 친구들이 꽤 있다고 한다. 물론 일정 수익률에 도달한 뒤에는 환수를 한다. 증권시장에서는 이런 성격의 자금을 '스마트 머니(smart money)'라고 부른다. 스마트 머니란 원래 정세 변화에 따라 신속하게 움직이는 자금을 뜻하는 말이다. 시장 정보에 민감한 기관 투자가들이 보유한 현금 등이 이에 해당된다.

그러나 최근 들어 현금을 많이 가진 개인 투자자들이 대거 등장하면서 이들의 베팅도 스마트 머니라고 부르는 경우가 많다. 하지만 스마트 머니는 단기투자에 국한된 말이어서 최씨처럼 몇 개월 가량 투자하는 경우는 스마트 머니로 보기 어려운 측면도 있다.

최진형 씨에게 "지수가 목표에 도달하면 가차없이 팔아치운다고 하셨는데요. 몇 푼 안 되는 돈으로 투자하는 직장인들로서는 따라 하기 어려운 방법 아닙니까?" 하고 물었다.

"돈이 적으니까, 더군다나 그 돈이 없으면 타격이 크니까 더욱 과감하게 팔아야지요. 제 친구 중에는 주식을 사서 아예 주식증서 현물을 인출한 다음에 금고에 넣고 기다리는 사람도 있어요. 인터넷 거래도 일절 하지 않습니다. 주가가 어느 정도 오르면 자꾸 팔고 싶은 생각이 들거든요. 그렇게 팔았다가 주가가 더 오르면 그때 다시 들어갔다가 상투*를 잡지요. 그래서 마음대로 팔지 못하게 자신을 꽁꽁 묶어놓는 겁니다. 이런 정도의 결심이 있어야 돈을 벌지요."

또 한번 최씨에게 물었다. "당시 상황에서 지수 850선을 기대하고 투자를 했다는 것을 믿을 수 없는데요. 도대체 850선까지 갈 것이라는 판단 근거가 뭡니까?"

"그거야 내 마음이죠. 사실은 저도 불안했어요. 2001년 말에 난리였거든요. 대부분의 사람들이 주식시장이 비정상적으로 달아올랐다고 보았지요. 주가 지수가 꺾어지기만을 기다리는 상황이었지요. 그래도 저는 기다리기로 했습니다. 언젠가는 900선까지는 갈 것이라고 생각했습니다. 그게 1년이 될지, 2년이 될지는 아무도 모르지요. 그리고 아무리 다시 떨어져도 설마 500선 이하로 빠지겠어요? 금리도 낮은데 투자할 곳도 없고요. 여유를 가져야지요."

'몰빵'에 목숨 걸지 마라

"돈이 사람보다 빠르다. 그래서 쉽게 잡을 수가 없다.
쫓지 말고 그물을 들고 기다려야 한다. 먼저 정성 들여 그물을 잘 짜야 한다."
— 황윤석(전자부품 유통업) —

주식 투자를 하는 사람들간에 '몰빵'이라는 속어가 종종 쓰인다. 어떤 종목의 주가 흐름이 좋을 것이란 확신이 서면 자금을 털어 한곳에 몰아 투자하는 것을 말한다. 주가가 크게 오르면 높은 수익을 거둘 수 있지만, 반대의 경우 '쪽박'을 찰 수도 있다. 그만큼 위험이 높은 것이다.

부자들은 '몰빵'이란 말을 싫어하는 기색이었다. 과거 큰돈을 주식에 투자했다가 낭패를 본 사람일수록 질색을 했다. 밑천을 털어 부동산을 샀던 부자들마저도 '주식에 큰돈을 넣는 것은 위험하다'는 반응이었다. 안정적인 곳에만 투자를 했다는 사람들은 두말할 필요가 없다.

주식 투자를 하고 있다고 응답한 78명 가운데 51명은 "펀드에 장기로 굴릴 돈을 넣어놓고 있다"고 말했다. 이른바 간접투자*를 하고 있는 셈이다.

나머지 27명은 간접투자가 아닌, 스스로 주식을 사고 파는 직접투자를 하고 있었다. 그러나 이들 중 대부분이 단타성 매매는 하지 않고 있었다. 대개는 1~2년에 한두 번 가량 주식매매를 하고 있다는 것. 선물 옵션 같은 고위험-고수익 투자를 하는 사람도 없지는 않았으나, 그는 일반투자자로 보기 힘들 정도의 '고수' 였다. 전문성이 요구되는 내용 이므로 여기서는 다루지 않겠다.

특히 펀드로 돈을 굴리는 51명 중 33명이 "직접투자는 되도록 하지 않는다"고 얘기했다. 펀드에 가입한 증권사를 통해 이따금 주식 투자를 할 때도 있으나, 그런 경우는 많지 않다는 설명이었다. 이들은 "어쩌다 주식시장이 괜찮은 것 같은 때는 여유자금을 넣어 투자를 하는데, 이 때에도 지점장과 상의해 결정한다"고 말했다. 나머지 18명은 직·간접투자를 동시에 하고 있었다.

배당이익을 놓치지 말라

몇몇 부자들에게 물어보았다. "부자가 되려면 크게 한 번 베팅할 때가 있지 않습니까? 과거에 그렇게 해서 돈을 벌었지 않습니까?"

이에 대해 조헌철 씨는 "주식은 그렇지 않다"고 잘라 말한다. 조씨는 주식 투자를 하다가 집 한 채를 날린 적이 있다고 했다.

"주식은 아닙니다. 부동산은 땅이라도 남지만, 주식은 그게 아니거든요. 하루아침에 휴지조각이 되는 경우도 있잖아요. 부동산 값은 오르고 내려봐야 거기서 거기인데, 주식은 등락 폭이 커서 훨씬 위험합니다. 준비가 된 다음에 들어가서 여유자금으로 투자를 하는 것이 좋지요."

조씨는 부동산과 현금성 자산의 비중을 7 : 3으로 정해놓고 있었다. 30%라면 적어 보이지만, 수백억 원에 달하는 그의 재산을 놓고 보면 그리 적은 규모는 아니다. 30%의 현금성 자산은 다시 쪼개어 투자된다.

현금성 자산 가운데 40%가 머니 마켓 펀드(MMF)에 들어가 있다. 주식시장에 큰 상승 조짐이 나타나거나 부동산을 구입할 일이 있을 때, 돈을 꺼내 쓰기 위해 인출이 편리한 MMF에 넣어놓는다.

30%는 증권사의 종합자산관리형 상품에 맡겨놓았다. 증권사에서 조헌철 씨의 안정형 성향에 맞춰 주식이나 채권 등을 사고 팔며 운용을 해준다. 일부 증권사를 중심으로 돈이 많은 고객만을 대상으로 한 맞춤형 금융상품이 등장하고 있는데, 조씨가 가입한 것도 이런 유형이다. 이런 서비스는 가입자의 나이와 투자기간, 자금용도, 목표 수익률 등 각자의 특성에 맞춘 1 : 1 투자상품이다.

20%는 그 증권사 계열의 투신사가 운용하는 '배당주 펀드'에 넣는다. 배당주 펀드는 일반적으로 주식 투자 비중을 60% 이하로 유지하면서 배당수익률이 높을 것으로 예상되고, 재무건전성이 높은 종목으로 포트폴리오를 구성해 안정성을 높인 펀드다. 자금운용 회사는 투자자들이 모아준 펀드 자금으로 주식을 산 뒤 예상 배당수익률 이상으로 주가가 오르면 주식을 팔아 이익을 얻게 된다. 만일 주가가 떨어지게 되면 배당 때까지 기다렸다가 배당금을 받아 수익을 낼 수 있다는 장점이 있다.

일반적인 주식 투자자들은 배당이득을 간과하는 경향이 있다. 투자기간을 그리 길게 잡지 않기 때문이다. 하지만 일부 종목들은 은행이

율보다 훨씬 높은 배당수익을 기대할 수 있으므로, 연말 배당을 노리는 배당주 투자야말로 안정성과 수익성을 동시에 얻는 전략이라 할 수 있다.

결국 현금자산 중 90%가 간접투자에 들어가 있는 것이다. 나머지 10%(15억 원 규모)를 가지고 직접 주식 투자를 한다. 조헌철 씨는 "재미로 하는 것이라서 크게 신경을 쓰지는 않지만, 은행금리보다 조금 높은 수익률을 올리고 있다"고 말했다. 주식 투자로 돈을 좀 만지면 부부 동반으로 해외 나들이를 간다.

고위험 투자는 여윳돈으로

대다수의 부자들은 이처럼 재산을 분산해 투자를 하고 있었다. 특히 채권의 경우 전문가가 아닌 한 직접 접근하기 어려운 분야다. 부자들 가운데 사채업을 하고 있는 2명을 제외하고는 거의가 펀드를 통해 간접 채권 투자를 하고 있었다. 이들이 부자이기 때문에 안정적인 간접 투자를 선호하는 것으로 볼 수도 있다. 그러나 반드시 그런 것만은 아니다.

우리나라처럼 '월급쟁이 직접 투자자'가 많은 나라는 없다. 주식 투자 인구가 350만 명을 넘어섰다. 한국은행의 조사에 따르면 개인 투자자 가운데 40% 가량이 은행 빚을 얻어 직접 투자를 하고 있다. 그래서 높은 수익률을 올리기 위해 값싼 부실 주식을 산다. 값싼 주식의 수익 상승률이 우량주에 비해 높기 때문이다. 그러나 부실 주식은 오를 때 가파르게 오르지만, 떨어질 때의 낙폭 또한 크다. 일부 용감한(?) 사람들은 충분한 지식이 없으면서도 선물옵션과 같은 파생상품에 직접투자를 하기도 한다.

　고수들은 "주식을 배울 때 우량주나 고가주를 매매하는 것을 먼저 배워야 한다"고 강조한다. 우량주는 많이 오르지는 않으나 내릴 때 하락폭이 상대적으로 작아 안정적이다. '지피지기면 백전백승'이란 말이 있다. 하지만 이는 와전된 것이다. '지피지기(知彼知己)면 백전불태(百戰不殆)'가 맞다. 주식시장에서는 '승리'보다는 '위태로움'에 초점을 맞추는 것이 좋다. 먼저 나의 투자 스타일과 자금 여력 등을 감안한 다음 주식시장을 살펴 위태로움을 최소화할 수 있는 전략을 취해야 한다는 말이다.

부자들이 권하는 투자 패턴

　부자들의 출발점도 우리와 다르지 않다. 처음에는 여유자금 대부분을 위험이 적은 은행예금 등에 넣어놓고 규모를 늘려간다. 그러다가 어느 정도 목돈이 쌓이면 수익증권(펀드)** 같은 간접투자 상품에 넣어 중간 위험-중간 수익을 노린다. 그러다 소득이 늘고, 돈이 불게 되면 그때서야 여윳돈을 가지고 주식이나 파생상품 같은 고위험-고수익 투자에 나선다는 것이다. 이런 원칙을 가장 잘 지키고 있는 나라가 미국이다.
　미국의 개인 투자자들은 재산 축적용 자금의 경우, 주식형 수익증권 및 채권형 수익증권, 해외 투자펀드 등에 장기 분산 투자해 위험도를 낮추면서 재산을 불린다. 전문가를 활용한 간접투자 방식을 취하는 것이다. 미국 가계의 절반 이상(52%)이 펀드에 투자하고 있을 만큼 간접투자가 일반화되어 있다.

대다수 증권사에 가면 다양한 간접투자 상품을 고를 수 있다. 그런데 펀드의 종류가 너무 많고 복잡해서 처음 접하는 사람은 혼란스럽다. 그러나 담당 직원의 이야기를 들어가며 꼼꼼하게 따지다 보면 무슨 소리인지 감을 잡을 수 있다. 부자들 역시 처음에 투자를 시작했을 때에는 문외한이었다.

다음은 '제로인'이란 한 펀드 평가 전문회사가 간접투자의 필요성을 알기 쉽게 설명해 놓은 것이다. 제로인은 수익과 위험의 적정한 분산을 위해서는 펀드를 통한 투자가 반드시 필요하다고 주장한다.

누구나 한번쯤은 들어보았겠지만 '계란을 한 바구니에 담지 말라'는 말이 있다. 일반적으로 투자자들이 투자를 하게 될 때 가장 중요하게 고려해야 할 사항은 '수익'과 '위험'이라는 개념이다. 통상 수익과 위험에 대한 객관적인 지표로 기대수익률과 표준편차(분산)라는 것을 사용한다. 기대수익률은 현재 시점에서 투자자가 투자를 할 때 얻을 수 있는 수익의 예상치라고 할 수 있다.

남대문 시장에 아래와 같은 물건을 파는 두 사람이 있다고 가정해 보자.

갑 : 우산 또는 선글라스를 파는 사람

을 : 우산 그리고 선글라스를 파는 사람

갑과 을의 차이는 어디에 있을까? 갑은 우산이나 선글라스 중 한 가지를 파는 사람이고, 반면에 을은 우산과 선글라스를 같이 파는 사람이다. 여기엔 아주 큰 차이가 있다. 갑의 경우 만약 우산만을 판다면 해가 뜨는 날은 장사가 잘 되지 않을 것이다. 반대로 비 오는 날, 선글라스만을 판다면 역시 장사가 수월치 않을 것이다. 을은 우산과 선글라스 모두를 판다. 이렇게 되면 비가 오든 해가 뜨겁게 내리쬐든 일정 부분의 수익은 보장될 수 있다.

바로 이러한 논리가 '계란을 한 바구니에 담지 말라'는 말을 만들어내는 것이다. 우산을 만드는 아주 좋은 회사가 있어서 이 회사의 주식에 모든 돈을 투자했는데, 그 해 기상이변으로 비가 한 방울도 내리지 않았다면 아마도 이 회사에 투자한 투자자는 큰 손실을 보게 될 것이다. 그러나 우산을 만드는 회사와 선글라스를 만드는 회사의 주식을 반반 정도씩 가지고 있다면 일반적인 경우에 일정 부분의 수익을 보장받을 수 있을 것이다. 이러한 분산 투자는 수익을 극대화하기보다는 위험을 나누게 되어 궁극적으로 안전한 투자를 하게 되는 것이다.

그러면 어떻게 나누는 것이 위험을 극소화하는가의 문제에 직면하게 된다. '무조건 많은 종목에 투자를 하게 되면 투자 위험이 완전히 감소되겠지'라고 생각하는 것은 금물. 왜냐하면 투자 위험은 투자대상 종목간의 상관계수(어떠한 사건에 대해 투자 종목간에 움직이는 방향성 및 정도)에 의해 그 크기가 결정되기 때문이다.

만약 선글라스를 만드는 회사와 여름 옷을 만드는 회사에 동시에 투자를 한다고 가정할 때, 기대와는 다르게 날씨가 덥지 않으면 아마도 두 회사에 대한 투자 결과는 동시에 만족스럽지 않을 것이다. 그러나 선글라스를 만드는 회사와 우산을 제조하는 회사에 분산 투자를 한다면 전자의 경우보다는 손해를 볼 확률이 적을 것이다.

이것이 바로 상관계수에 의한 분산 투자의 효과다. 여기서의 상관계수라는 것은 위에서 설명한 바와 같이, 한 개의 투자대상이 상승할 때 다른 투자자산이 어느 정도 함께 상승 또는 하락하는가를 말하는 것이다. 따라서 상관계수에 의한 분산 투자의 효과는 하나의 사건에 대해 움직이는 방향과 정도가 다르게 나타나서 위험이 줄어드는 것이다. 투자대상을 여러 개로 나누어 투자를 하게 되면 수익은 한 개의 자산에 투자를 하는 것보다 적을지 몰라도 위험은 훨씬 더 감소되는 것이다.

펀드에 투자하는 것은 많은 계란을 한 바구니에 담는 것이 아니라 여러 개의 바구니를 구입하는 것과 같은 효과를 볼 수 있다. 펀드는 펀드를 구성하는 종목들간의 분산 투자 효과와 그에 따른 수익을 적절히 조합한 상품이다. 이 때문에 펀드에 투자할 경우 개별종목에 투자하는 것보다 위험이 적게 나타난다.

**Note

*간접투자 : 투자 전문가에게 돈을 맡겨 주식 등의 유가증권(주식및 채권)에 투자하는 것을 말한다. 투자자가 직접 주식을 사고 파는 '직접투자'와 대별된다. 간접투자의 경우 전문지식이 없이도 펀드매니저의 힘을 빌어 주식, 채권, 선물 등등 다양한 유가증권에 투자할 수 있다. 다만, 여러 자금을 펀드 형태로 모아 보수적으로 운용하기 때문에 높은 수익률을 기대하기는 힘들다.

**수익증권 : 고객이 맡긴 돈을 투자해 거기서 발생하는 수익을 얻을 권리를 표시하는 증권을 뜻한다. 펀드에 가입하면 수익증권을 사는 것이다. 수익증권을 직접 받아갈 수도 있으나, 번거롭고 도난 또는 분실의 위험이 있으므로 통상적으로는 수익증권을 맡기고 은행처럼 통장을 받아간다. '수익증권'을 샀다는 것은 펀드에 가입했다는 말과 같다. 그러나 상장지수펀드(ETF)처럼 증권거래소에서 주식과 같이 거래되는 경우도 있는 만큼, 펀드=수익증권이라는 인식이 애매해진 점도 있다.

팔자소관과 5%의 행운

"힘의 원천은 신념이다.
나는 돈에 대한 신념을 가지고 있고, 그것을 지키며 살아왔다."
— 이재우(부동산 투자업) —

의류회사를 운영하는 조주명 씨는 "재운(財運)에도 등급이 있다"고 말한다. 하늘이 내려준 각자의 팔자만큼 돈을 갖게 된다는 것이다. 일종의 팔자타령일 수도 있겠다.

조씨는 지난 40여 년간 의류업계에 종사해 온 베테랑 경영자. 남방을 만드는 조그만 회사를 인수해 남성복 전문업체로 일구어냈다. IMF 당시, 환율이 급등하자 수출이 크게 늘었고 상당한 금액의 돈을 벌었다. 1달러 어치를 수출하면 800원을 받던 것이 환율 폭등으로 2,000원 가까이 받게 됐으니 한마디로 돈을 가마니에 퍼 담는 장사였다. 물론 외환위기 전에 비해 수출단가는 떨어졌지만, 원화로 환산한 매출은 크게 늘었다.

그는 이렇게 벌어들인 돈으로 벤처기업에 투자하기도 했는데, 그때 큰 손해를 입었다고 불만을 토로하기도 했다. 만일 벤처 투자를 하지 않고 부동산을 샀더라면 더 많은 돈을 벌 수 있었을 것이라며 아쉬워했다.

조주명 씨의 팔자타령

물불 가리지 않고 열심히 일을 했는데 삼성의 이병철 회장이나 현대의 정주영 회장의 발끝만큼도 따라가지 못했다는 것이 첫 번째고, 돈이 나갈 일이 있으면 다시 그만큼 돈이 들어올 일이 생겨 결국에는 처음과 같아진다는 것이 두 번째 팔자타령이었다.

실제로 결혼한 아들에게 아파트를 장만해 주느라 2억 원을 썼더니 땅을 사두었던 지역이 그린벨트에서 풀리면서 2억 원 정도가 생겼다고 한다. 주식 투자로 1억 원을 날리자, 몇 달 뒤에는 집 값이 그만큼 올라 서운한 마음을 달랠 수 있었다고 했다.

이러니 '재운은 하늘이 정해준 것이 아니겠느냐'는 것이 조씨의 주장이다. 있을 법한 얘기다. 하지만 이 같은 논리에는 오류가 있다. 만일 조씨가 마음을 갑자기 바꿔 초호화 생활을 한다면 거침없이 나간 돈이 다른 모습으로 되돌아올 가능성은 없기 때문이다. 아들과 딸을 출가시킨 조씨 부부는 한강이 내려다보이는 30평대 아파트에서 살고 있었다.

팔자도 고쳐진다

'운칠기삼(運七技三)'이라는 말이 있다. 세상의 모든 일에는 운이 7할 작용하며 3할이 실력이라는 얘기다. 특히 시험을 치를 때 이런 말을

노력과 행운의 상관관계

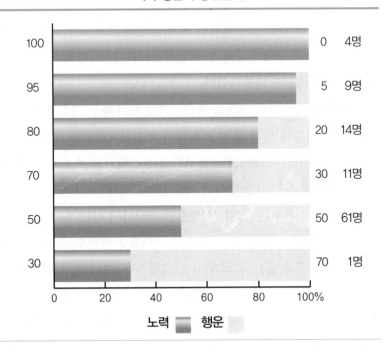

	노력	행운	
100		0	4명
95		5	9명
80		20	14명
70		30	11명
50		50	61명
30		70	1명

자주 하게 된다.

그러나 부자들은 "운칠기삼은 맞지 않는다"고 한결같이 지적했다. 100명의 부자 가운데 조주명 씨만이 유일하게 '성공하는 데 운이 70% 정도 된다'고 응답했을 뿐, 대다수의 부자들은 성공에서 차지하는 운의 비중을 50% 미만으로 꼽았다. 가장 많은 응답은 '50:50'이었다. 노력도 중요하지만 운도 따라야 한다는 경험론이다.

이순애 씨의 사례가 재미있다. 이씨 부부가 고생 끝에 돈을 모아 서울 변두리에 땅을 샀을 때, 그 주변은 이미 온갖 건물들로 포화 상태였다. 3~4층짜리 건물들이 밀집해 있었던 것. 몇몇 관공서가 일찌감치 들어서서 개발 수요를 부채질한 데 따른 결과였다. 이씨 부부가 잡은 땅은 전 주인이 고집스럽게 팔지 않고 버티다가 사망하자, 후손들이 상속을 위해 내놓은 매물이었다.

이씨 부부가 이 땅에 건물을 올리겠다고 하자 주변 사람들이 일제히 만류했다. 건물이 너무 많이 들어서서 포화상태이므로, 임대를 놓기 어렵다는 것이었다. 매매를 중개했던 부동산업자를 빼고는 '좋을 것' 이라는 얘기를 하는 사람을 찾기 어려울 정도였다.

그러나 이씨 부부는 "세를 못 놓으면 들어가서 사는 한이 있어도 일단 건물을 짓자"고 결심했다. 은행의 대출담당 직원도 "장사 안 되는 동네에 왜 건물을 짓느냐"며 난색을 보였지만, 지점장을 설득해 은행 돈을 빌릴 수 있었다. 그리고 공사가 거의 끝나갈 시점에 갑자기 수많은 사람들의 연락을 받게 됐다. 높은 값을 쳐줄 테니 건물을 팔라는 것이었다. 이씨 부부는 의아해하다가 거래를 알선했던 부동산업자에게서 희소식을 듣게 됐다.

'건물 앞에 전철이 지나가게 되며, 전철역도 생기는데 그 출구 중 하나가 바로 그 건물 앞으로 난다' 는 것이었다. 부부는 그 말을 듣고 그 자리에서 체면도 잊은 채 덩실덩실 춤을 추었다고 한다. 공사가 끝나기도 전에 계약이 완료된 것은 두말할 필요도 없다. 부부는 보증금을 받아 은행대출을 갚았다.

일부 부자는 '행운을 기대할 필요가 없다' 는 시각을 보이기도 했다. 박철규 씨는 "내가 운이 좋은 사람이라고 생각한 적이 없다"고 말했다.

실패와 성공을 거듭하면서 행운을 기대하지 않았으며, 모든 일을 스스로 풀어냈다는 자부심이 엿보였다. 그는 '노력이 100%'라고 대답했다. 4명의 부자는 성공하는 데 '행운'이 차지하는 비중이 0%라고 단언했다.

한편 대다수의 부자들은 '노력을 하면 행운도 함께 들어온다'는 시각을 갖고 있었다. 심종수 씨 등 9명은 행운의 기여도를 5%로 평가했다. 5%의 행운이면 부자가 되기에 충분하다는 것이다. 그러나 심종수 씨는 "5%의 행운을 얻기 위해서는 95%의 노력이 필요하다는 점이 더 중요하다"고 말했다.

팔자는 반드시 정해지는 것은 아닌 모양이다. 부자들은 노력을 통해 스스로를 바꾸면 팔자도 따라 변하게 된다는 시각을 가지고 있었다.

실패한 원인을 알아야 한다

"어릴 적, 실수를 하면 혼나는 것으로 그만이었다.
그때가 그립다."
— 김형선(회사원, 임대업) —

경기도에서 전자부품 회사를 경영하는 문지형 씨는 3번이나 지옥 문
턱에 갔다왔다고 한다. 가진 것을 모두 잃었다는 사실은 그나마 참을
만했다. 수 차례 범법자로 몰려 경찰서 유치장 신세를 졌고, 주변 사람
들에게 '도둑놈' 이라는 손가락질을 받았다. 처가 사람들마저 그를 "사
람 구실 못한다"며 몰아세웠다.

문씨가 마지막으로 부도를 냈던 금액은 7억 원 정도였다고 한다. 지
금은 사정이 좀 바뀌었지만, 지난 1990년대까지만 해도 부도를 낸 사업
주는 철창 신세를 지는 경우가 많았다. 수표를 남발하고 갚지 못했으
니 부정수표 단속법에 따라 처벌되었던 것. 문씨는 빚쟁이와 경찰에
쫓기다가 마침내 한강에 빠져 죽을 결심까지 했다고 한다.

무역회사 출신인 그는 지난 1980년대 초반, 국내 전자산업이 활황 기

미를 보이자 일본에서 부품을 수입해 가전회사에 납품하는 사업을 시작했다. 한동안 쏠쏠한 재미를 봤다. 그러다가 아예 일본 기술을 도입해 제조하는 쪽으로 영역을 확장했다. 그동안 모은 자금에 은행돈을 빌려 비용을 충당했다.

그런데 문제가 생겼다. 일부 대기업 협력사들이 문씨 회사보다 앞서 그 부품을 생산하기 시작했던 것. 다른 일본업체로부터 기술을 이전받아 제품 생산에 나선 것이었다. 겉으로는 대기업 협력사라지만, 실제로는 '한 식구' 라는 것이 업계의 관행. 대기업의 임원이 독립해 세운 회사가 많았고 위장계열사 또한 적지 않았다. 사정이 이렇다 보니 대기업들이 문씨 회사와 관계를 끊은 것은 당연한 일이었다.

십수억 원을 들여 기술도입과 설비에 투자했던 문씨의 회사는 제대로 움직여보지도 못하고 위기에 처하고 말았다. 문제가 생긴 것을 간파한 은행에서는 돈을 갚으라고 요구했다. 문씨는 "내 사업이 잘 되니까 대기업들이 나를 죽이려고 음모를 꾸몄다"면서, "조금만 더 기다려주면 매출을 올려 빚을 갚겠다"고 항변했다고 한다.

이렇게 은행을 설득한 뒤, 제품생산에 들어갔지만 부품을 사겠다는 전자회사가 한 곳밖에 없었다. 이 정도 수요만으로는 공장 운영비도 충당할 수 없었다. 부품을 가져간 회사도 물품 대금을 제대로 지급해주지 않았다. 그러다가 결국 부도를 내고야 말았다. 공장과 설비는 모두 경매에 붙여졌고, 문씨가 살던 집도 다른 사람의 소유로 넘어갔다. 첫 번째 사업 실패였다. 그 이후 문씨는 대기업 얘기만 나오면 파르르 떠는 버릇이 생겼다고 한다.

문씨의 얼굴은 혹독한 세월을 겪은 사람답지 않게 밝고 단아했다. 마치 고생이라고는 구경도 해보지 못한 사람 같아 보였다. 그는 "속으로 골병이 들었다"면서 웃었다. "사업이 망할 때마다 10년씩은 더 늙은 것 같아요. 죽을 고비를 세 번 넘기고 나니까 초연해지더라고요. 마음 고쳐먹고 다시 출발해서 여기까지 온 거죠. 그런데 3번째 망할 때까지도 내가 너무 멍청했던 것 같습니다. 왜 망했는지도 모르고 시간만 낭비했으니까요."

잘되면 사업가, 망하면 사기꾼

1986년 시작한 두 번째 사업 역시 전자부품을 수입하는 일이었다. 국내에서 만들기 어려운 고급 부품을 수입해 전자업체들에게 넘기는 오퍼상 역할이었다. 그러나 사업을 시작한 지 1년도 안 돼 문을 닫아야 했다. 돈을 송금하기 위해 은행에 갔던 경리 여직원이 잠적했던 것이다. '입금이 되지 않았다'는 일본 거래처의 연락을 받고 은행계좌를 확인한 문씨는 기겁을 했다. 잔고가 텅 비어 있었다. 여직원이 알뜰하게 횡령한 셈.

나중에 경찰에 붙들린 여직원은 "장사를 하는 남자친구의 사정이 너무 급해서 회사 돈에 손을 댔다"며 울먹였다. 우습게도 남자친구는 장사를 한 적이 없었다. 여직원을 속여 회사 돈을 갈취한 뒤 흥청망청 탕진한 것으로 밝혀졌다. 여직원은 문씨 당고모의 딸이었다. 당고모가 건네준 돈으로 일부 외상을 갚은 문씨는 곧바로 두 번째 사업의 간판을 내렸다.

세 번째 사업은 컴퓨터였다. 1990년대 초반 PC붐이 일자, 외국산 부품과 주변기기를 수입해 파는 일에 나섰다. PC 업그레이드 수요가 숨가쁘게 일어나자 부품이 잘 팔려나갔다. 욕심이 생겼다. 직원들을 뽑아 직접 PC를 만들어 팔기 시작했다. 직판 매장을 얻고 대리점도 개설해 물량을 늘렸다. 신문에 광고도 냈다. 그러나 이 사업도 2년을 넘기지 못했다. 우후죽순 난립한 조립 PC업체들이 출혈경쟁을 벌이면서 사업성을 갉아먹기 시작했다.

하지만 그 당시 문씨는 '조금만 더 버티면 가능성이 있다'고 생각했다. '남들이 망할 때 버티기만 하면 된다'고 생각했던 것. 친구와 친척 돈을 끌어들여 급한 대로 자금을 융통했고 대리점을 늘렸다. 헌데 과열경쟁이라는 수렁은 문씨의 생각보다 훨씬 깊었다. 마침내 부도가 났고 가족이 다시 생이별을 하게 됐다. 경찰과 빚쟁이에게 쫓긴 문씨는 몇 달간 지방 여관을 떠돌며 기약 없는 방랑자 신세가 됐다. 본의 아닌 사기꾼이 된 것이다.

사업의 세계는 비정하다. 잘되면 사업가지만, 잘못되면 사기꾼으로 몰리는 경우가 많다. 문씨에게 돈을 빌려준 사람들은 그를 '성공할 가능성이 높은 사업가'로 보고 자금을 내주었다. 그러나 문씨가 망하고 난 뒤 그에게는 사기꾼이라는 딱지가 붙었다. 애꿎은 돈을 날려먹었으니 돈을 빌려준 입장에서 보면 문씨는 사기꾼이다. 남의 속을 어떻게 알겠는가. 사업에 대한 문씨의 열정과 의지는 돈을 떼인 사람들에게는 아무런 의미가 없다.

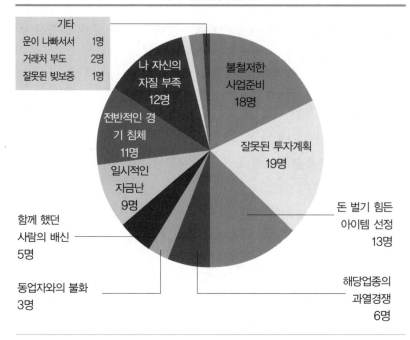

과거 실패의 원인은

기타
운이 나빠서서 1명
거래처 부도 2명
잘못된 빚보증 1명

나 자신의
자질 부족
12명

전반적인 경
기 침체
11명

일시적인
자금난
9명

함께 했던
사람의 배신
5명

동업자와의 불화
3명

불철저한
사업준비
18명

잘못된 투자계획
19명

돈 벌기 힘든
아이템 선정
13명

해당업종의
과열경쟁
6명

　

"제가 도망 다니는 사이에 아내가 고생을 많이 했어요. '사기꾼 마누라' 라는 욕을 수백 번은 들었을걸요. 친척들마저 그랬으니 돈 앞에는 장사가 없는 모양입니다. 그래도 저를 믿고 도와준 친구들 때문에 다시 일어설 수 있었던 것 같아요. 동창 녀석이 자기 돈 2,000만 원을 날렸는데도 밥 사먹으라고 300만 원을 내주더군요."

문씨는 "성공을 위해서는 그만한 수업료를 기꺼이 치러야 한다"고 말한다. 수업료란 실패 또는 희생을 의미한다. 세상에 거저 얻어지는 것은 없다는 얘기다. 많은 사람들이 부자들을 만나면 그들의 풍족한 현재만을 보며 부러워한다. 그들이 어떤 고난을 거쳐 지금의 자리에 이르렀는지에 대해서는 주의 깊게 듣지 않는 경향이 있다. "죽을 고생이 많았다"는 대목이 나올 때마다 그러려니 생각을 한다. 오로지 부자들이 어떻게 돈을 벌었는지, 그 방법에 대해서만 집요한 관심을 갖는다.

쓴맛을 봐야 세상을 볼 수 있다

설문조사 대상인 100명의 부자 가운데 '실패를 경험해 보지 않았다'고 응답한 사람은 19명이었다. 19명 중에는 전문직과 월급 생활자가 많았다. 사업보다는 전문직이나 기업체에서 일하는 것이 안정적인 셈이다.

부자 100명 중에 81명이 실패를 겪었다. 실패의 기준은 다양했다. 사업에서 큰 손해를 본 사람부터 주식 투자로 재산의 일부를 날린 사람에 이르기까지 다양했다. 실패로 인해 '전 재산을 잃은 적 있다'고 응답한 사람이 17명이었고, 나머지 64명은 '피해를 입었으나 감당할 정도였다'고 대답했다.

다만 이들은 '실패한 원인을 스스로 깨닫는 것이 가장 중요하다'는 데 의견을 함께 했다. 박윤섭 씨는 "쓴맛을 본 다음에야 세상을 볼 수 있는 안목이 생긴다"고 말했다. 실패를 두려워할 필요가 없다는 것이다.

이들이 꼽는 실패 원인 가운데 가장 많았던 것은 '불철저한 사업 또는 투자계획과 준비'였다. 문지형 씨 역시 "3번 실패한 뒤에 그 원인을 파악하고 깊이 반성했다"고 했다. '돈을 벌기 힘든 아이템'을 잡거나 '경기침체를 보지 못한 이유' 등도 주요 실패 원인으로 꼽혔다.

문지형 씨는 1996년 말부터 다시 일어섰다. 예전에 거래를 했던 일본 전자부품 회사가 한국에 공장을 세우면서 문씨를 파트너로 지목했다. 오래 전부터 문씨의 성실성에 주목해 온 일본 회사가 그에게 합작을 제의한 것이었다. 그 일본 기업이 일부 자금을 댔고, 모자라는 부분은 소개받은 재일교포 실업가가 충당해 주었다.

이듬해 말, IMF 한파가 기습했으나 이것이 문씨 회사에는 호재가 됐다. 원화 가치가 폭락하자 수출이 2배 이상 급증했다. 달러에 대한 원화 환율이 2,000원 가까이 치솟는 상황이었다. 원화 값이 싸니 제조 원가를 크게 줄일 수 있었다. 해외에서 경쟁제품보다 싸게 팔아도 이익이 늘어나는 현상이 나타난 것이다.

이렇게 수출로 벌어들인 돈으로 재일교포 실업가에게 빚을 갚았다. 그 이후 일본 회사는 사업 품목에 대한 구조조정으로 그 사업에서 철수했다. 그러면서 투자 지분 가운데 상당 부분을 문씨에게 팔았다. 문씨는 지금 중국에 공장을 세우기 위해 한 달의 절반 이상은 그곳에서 보내고 있다.

문지형 씨는 자신의 실패담을 이야기하며 금고에서 서류철을 꺼냈다. 서류철을 열자 수십 매의 어음이 나왔다. 부도가 났던 어음들이었다. 다른 회사 것도 있었고, 문씨가 경영했던 회사의 어음도 있었다. 지금도 중요한 일을 결정할 때면 그 어음들을 보면서 신중하게 생각한다는 것이다.

"돈을 벌어서 부자가 된다는 것은 그냥 열심히 해서 모은다는 것만은 아닌 것 같습니다. 실패도 하고 배우기도 하면서 거기서 이력을 쌓아야지요. 갑자기 큰돈을 만질 수는 있어도 경험이 없으면 금방 잃는 게 세상 이치일 겁니다."

억대 연봉 샐러리맨의 비결

많은 부자들이 스스로 사업을 벌이면서 재산을 축적했다. 허나 샐러리맨 생활을 한다고 해서 큰돈을 벌 기회가 없는 것은 아니다. 전문 경영인을 제외한 샐러리맨 중에서도 상당한 재산을 모은 사람을 만날 수 있었다.

모 보험사에서 종신보험*을 판매하고 있는 전민규 씨가 바로 '부자 샐러리맨'이다. 전씨는 보험업계에 뛰어든 이래 15년간 줄곧 뛰어난 영업직원이었다. 물론 지금은 대리점을 운영하며 종신보험만을 팔고 있는 개인 사업자다. 보험사들은 판매 담당자가 어느 정도 수준에 오르면 독립을 시키고, 실적에 따라 판매 수수료를 지급한다.

그의 연간 수입은 3억 원 수준. 그러나 이 중에서 5,000만 원 이상을 개인 활동비로 쓴다. 활동비는 대개 고객접대 또는 선물 등에 사용한다. 그래도 결과적으로는 2억 5,000만 원의 수입을 올리는 셈이다.

보험사들은 영업사원이 신규계약을 체결해 오면 계약 보험료의 1.5~4% 가량을 커미션으로 영업사원에게 내준다. 한몫에 주는 경우도 있고, 몇 년간에 걸쳐 지급하는 회사도 있다. 1억 원짜리 보험계약을 맺으면 150만~400만 원 상당의 수입이 생기는 구조다.

샐러리맨이 돈 벌 수 있는 자리는 영업직이 최고

전민규 씨는 "영업직이야말로 샐러리맨이 돈을 벌 수 있는 유일한 방편"이라고 말한다. 대다수 기업들이 영업을 활성화하기 위해 인센티브 시스템을 도입해 놓고 있는 만큼 뛰면 뛸수록 수입을 많이 올릴 수 있다는 근거에서다. '월급쟁이 신세'라는 한탄은 스스로의 가능성을 좀먹는 마약이라는 것이 그의 주장이다. 그는 자신이 사는 집을 포함해 아파트 2채와 주상복합 빌딩의 매장 등을 가지고 있다. 자산이 얼마나 되는지는 밝히기를 꺼렸다.

전씨의 수입은 보험사에서 상위급에 속하기는 하지만, 톱클래스 축에 들지는 못한다고 한다. 연간 수입 20억 원이 넘는 사람들도 있다. 이른바 '판매왕'이다. 생명보험 회사들은 매년 판매왕을 선정해 이들에게 푸짐한 상을 주고 있다. 상위 랭킹에 드는 보험사 10곳이 판매왕을 여러 명씩 뽑는 것을 볼 때 '부자 영업사원'이 꽤 많다는 것을 짐작할 수 있다.

전민규 씨의 고객 공략법은 특이하다. 껄끄러운 상대를 소개받게 되면 주로 비가 오는 날에 방문한다. 비 오는 날에는 약속을 기피하는 경향이 높은데다 손님 방문도 드물기 때문에 여유 있게 허심탄회한 대화를 나눌 수 있다는 점에 포인트를 맞춘 것이다.

"처음에는 보험 얘기를 꺼내지도 못하게 하는 사람이 많아요. 잡상인 비슷하게 생각하는 거죠. 보험에 가입하라고 설득하기보다는 상대방의 얘기를 들어주고 인생 설계를 어떻게 하는지에 대해 대화를 나눕니다. 조금씩 태도가 바뀌면 슬며시 보험 얘기를 꺼냅니다."

그러나 억대 수입을 자랑하는 전씨의 타율은 그리 높지 않다. 3할대 수준이다. 10명을 만나면 그 중 3명 정도가 보험계약에 서명을 하는 것이다. 부지런하게 사람을 만나되, 조급하게 굴어서는 일을 그르칠 가능성이 높다는 것이 전씨의 영업 비결이다.

증권가에 '전설'로 불리는 영업사원이 있다. 현재 모 증권사에서 투자상담사로 일을 하는 H씨다. 100명이 넘는 부자들을 취재하면서 직접 만나지 못한 유일한 인물이다. 그가 거주하는 곳이 지방인 데다 노출을 극도로 꺼린다는 주변 사람들의 충고에 따라 면담 일정을 잡지 않았다. 그러나 그가 일하는 증권사 사람들을 통해 H씨에 대한 간접 취재를 할 수 있었다.

H씨는 전민규 씨와는 달리, 발로 뛰어다니지는 않는다고 한다. 자리에 앉아서 밀려드는 고객을 상대한다는 것이다. 그런 H씨는 자신이 다니는 회사의 사장으로부터 수시로 골프 접대를 받는 증권업계의 유일한 영업사원이다. 그 증권사의 사장은 H씨를 경쟁사에 빼앗기지 않으려고 주말마다 비행기를 타고 지방에 내려간다고 한다. 그리고는 그 다음주에 '리턴 매치'를 핑계로 서울로 초청해 함께 골프를 치는 등 각

별한 관심을 쏟는 것이다.

H씨가 골프채를 휘두를 때면 사장과 임원이 박수를 치며 '나이스샷'을 연발했다 하니, 그 광경이 쉽사리 연상되지 않는다. 당시 그의 직위는 차장이었다.

사장이 이처럼 H씨를 모셨던(?) 이유는 그에게 몰려드는 고객이 엄청나기 때문이다. 그 지역에서 주식 투자를 좀 한다는 사람이면, 죄다 H씨가 일하는 증권사 지점 객장에 몰려들어 장사진을 쳤을 정도라고 한다. 그가 혼자 올린 수익이 잘나가는 지점 2개의 수익을 합친 것보다 많았다.

하지만 H씨가 다른 증권사 직원들에 비해 월등히 높은 수익률을 올린 것은 아니다. 증권가의 용어로 치자면 '많이 먹여주지'는 않은 셈. 다만 꾸준하게 시장 움직임보다 높은 수익률을 올린 것이 고객들의 높은 평가를 받았다. 더구나 하락장에서도 평균 20% 이상의 수익을 꼬박꼬박 올려 투자자들의 찬사를 받기도 했다. 회사는 H씨를 서울의 노른자위 지점으로 발령을 내기도 했는데, 본인이 고향을 고집하는 바람에 되돌아갔다. H씨가 한창 활약하던 당시, 그의 연간 수입은 17억 원(세금 포함)에 이른 적도 있다고 한다.

전설의 영업사원, 연봉 17억

증권사 영업직원들의 인센티브는 상당하다. 30억 원 가량의 고객 돈을 끌어들였을 경우, 한 달에 10번 가량 매매를 하면 회사의 수수료 수입이 1억 5,000만 원이 된다. 이 가운데 7,000만 원 정도를 담당 직원에게 배정한다. 물론 고객 돈을 마구잡이로 운용할 수도 없고, 인센티브는 회사에 따라 차이가 있다.

증권사 직원들의 씀씀이가 큰 데는 이유가 있다. 한몫만 잡으면 수백만~수천만 원이 들어오니, 대부분의 직원들은 월급을 껌 값 정도로 여긴다. 그래서 고급 술집에 가서 수백만 원 어치 양주를 마시는 사람들이 적지 않다. 일부 증권사 직원이 '큰돈'의 유혹을 물리치지 못해 작전에 가담했다가 쇠고랑을 차는 것도 이 같은 무절제한 생활에서 비롯되는 경우가 많다.

증권사 지점장들은 고급 차를 몰고 다니는 경우가 많다. 최고급 대형차까지는 아니더라도 그랜저XG나 SM5급의 차를 가지고 있다. 그러나 이들 지점장 중에 자기 집을 가진 사람은 그리 많지 않다. 주식 투자를 하다가 험한 꼴을 당한 경우를 심심지 않게 발견할 수 있다. 겉으로는 화려한 모습을 보여주면서도 속은 비어 있는 셈. 지점장들이 겉치장에 신경을 쓰는 것은 고객과 부하 직원들에게 '있는 폼'을 보여주어야 신뢰를 얻을 수 있기 때문으로 보인다.

그렇다면 H씨가 이처럼 높은 수익률을 올려 고객을 끌어 모은 비결은 무엇일까? 그와 함께 근무했던 상사는 이렇게 말한다.

"잠을 자지 않았어요. 퇴근하고 집에 가면 새벽 4시까지 컴퓨터를 봤다고 해요. 모든 뉴스와 종목을 체크한 다음에 잠깐 눈을 붙이고 출근을 했지요. 그러니 전 종목을 훤하게 꿰차고 있을 수밖에 없지요."

무서운 얘기다. 당시 거래소에 상장된 종목과 코스닥에 등록된 종목을 모두 합하면 1,000여 개가 훨씬 넘는다. 그것을 매일같이 모두 체크했다는 것이다. 주요 종목의 주가 움직임이 머릿속에 자리잡고 있으니, 주가 지수가 하락할 때도 상당한 수익을 올릴 수 있었을 것이다.

H씨가 증권계에 입문한 것은 우연이었다. 지방의 공과대학을 나와 중소업체에서 관리담당으로 일을 했는데, 그 회사가 부도를 내는 바람에 실업자가 됐다. 그 후 개인투자자가 되어 증권사 객장을 전전하다가 그를 눈여겨본 지점장에 의해 발탁됐다.

지금 그는 절반은 은퇴한 상태다. 투자상담사로 물러나 가끔씩 지점에 출근하면서 소일하고 있다. 일에 지쳐 물러났다는 것이 주변 사람들의 말이다.

떼돈을 만지는 것이 반드시 행복한 일은 아닌 모양이다. 그의 부인이 남편의 수입을 감당하지 못해 노이로제에 걸린 것. 우울증에 걸린 부인과 상의한 H씨는 자신의 수입 가운데 수억 원을 불우이웃 돕기 성금으로 기탁하기도 했단다.

매년 연말이면 많은 기업들이 신입사원을 뽑는다. 취업경쟁이 날로 치열해지고 있다. 그런데 기업체 인사 담당자들은 고민이 많다. 좋은 인력을 채용하는 것까지는 좋은데, 어느 누구도 영업직을 맡으려 하지 않아 진땀을 뺀다는 것이다. 영업직으로 발령을 내면 퇴사하겠다고 으름장을 놓는 신출내기 사원들이 많다고 한다. 신입 사원들이 가장 좋아하는 업무는 기획 관리나 재무, 홍보 등의 분야다.

아직까지 우리 사회에서는 영업직에 대한 시선이 차갑다. '영업' 하면 즉각 '외판원'을 떠올리는 것이다. 그러나 자기 사업을 벌일 자본이 없는 월급쟁이가 큰돈을 벌 수 있는 가장 쉬운 방법은 영업이다. 몸과 머리를 얼마나 효율적으로 굴리느냐에 따라 억대 수입을 기대할 수 있다. 그리고 그 가능성이 점차 커지고 있다. 증권이나 보험뿐만 아니라 은행에서도 고소득자 상대의 프라이빗 뱅킹이 확산되면서 고소득 영업맨들의 몸값이 치솟고 있다.

물론 이런 분야의 영업맨이 된다고 해서 곧바로 억대 수입의 길이 열리는 것은 아니다. 경쟁자보다 더 많은 '발품'을 팔아야 기반을 마련할 수 있다. 특히 돈을 버는 데도 공부가 필요하다. H씨만큼은 아니더라도 자기 분야에 대한 끊임없는 연구가 필요하다. 학교를 졸업했다고 해서 공부가 끝나는 것은 아니다. 돈 버는 공부는 평생을 해도 충분하지 않다.

**Note

*종신보험 : 종신보험이란 가입 후 사망하면 어떤 경우라도 보험금을 지급 받을 수 있는 상품이다. 일반 보험과는 달리 보장기간이 사망할 때 까지다. 자살 등 특별한 사유(가입 후 일정 기간이 지난 뒤에는 자살의 경우도 지급) 외에 어떤 이유로 사망했는지에 관계없이 무조건 보험금이 지급된다. 교통사고나 암 등의 특정사유로 사망하거나 사고가 났을 경우에만 보장되는 일반보험과 이런 점에서 차이가 있다. 보험금액도 커서 일반보험이 통상 2,000만 원 대의 보험금을 지급하는 것과는 달리, 평균 금액이 1억 원을 넘는다. 특약에 따라 수십억 원까지 보장되는 상품도 있다. 그래서 중산층 이상을 주 대상으로 한다. 종신보험 판매사원을 부르는 호칭도 다르다. 대졸 엘리트 남녀가 대부분인 이들은 '라이프 플래너' 또는 '라이프(파이낸셜) 컨설턴트' 등으로 불린다.

외지고 험한 곳에서 기회를 노려라

"내가 하는 일이 창피했던 적은 없다.
가족을 위한 일인데 무엇인들 못하겠는가."
— 노창윤(사채업) —

우리 속담에 '개같이 벌어 정승같이 쓴다' 는 말이 있다. 돈을 벌 때는 궂은 일을 가리지 않고 벌고, 돈을 쓸 때에는 어엿하고 보람 있게 쓴다는 말이다.

이런 속담에 어울릴 만한 사례가 하나 있다. 조선 말기, 한 노비는 대규모 홍수가 발생해 이재민이 속출하자 5,000섬의 쌀을 내놓았다는 기록이 남아 있다. 한 섬이 열 말이니, 그야말로 대단한 규모다.

노비가 무슨 돈이 그리 많겠느냐는 질문이 나올 법하다. 하지만 당시 기록을 보면 관노 중에는 부자들이 꽤 있었던 것으로 전해진다. 이들은 관가의 재물을 다루면서 이재를 익히고, 자신이 모은 돈으로 돈놀이를 해서 거액을 융통하는 사채업자 행세를 했다고 한다. 금리가 5할이었다고 하니, 엄청난 고리채 놀이다. 심지어는 양반들을 상대로 돈놀이를 하다가, 결국에는 그들이 담보로 맡겼던 족보를 꿰차는 경우까지 생겨 사회적 문제로 대두되기도 했다.

어쨌든 이재민 의연금으로 쌀 5,000섬을 내놓은 노비는 개같이 벌어 정승같이 쓴 셈이다. 당시 왕실이 이 노비의 갸륵한 정성을 높이 평가해 천민 지위에서 양인으로 올려주었다는 기록이 남아 있는 것을 보면 당시 사회적 파장이 컸던 모양이다.

일단 저질러놓는다

석종호 씨는 명함을 내밀 만한 직업을 한 번도 가져본 적이 없다고 한다. 지방에서 고등학교를 간신히 마치고 무작정 상경한 뒤 구두 매장에서 판매원을 했고, 친척에게 사기를 당해 월세 보증금까지 날린 적도 있었다. 한동안 매장 뒤에 이불을 깔아놓고 잠을 자기도 했다.

그는 지금 사채업자로 활동하고 있다. 서울 신촌에 사무실을 가지고 있으며 주변 상인들을 대상으로 일수놀이도 한다. 하지만 겉모습을 보면 영락없는 2세 기업인으로 보인다. 희멀건 얼굴에 가지런한 치아, 베르사체 양복, 페라가모 구두, 갸름한 손마디 위로는 카르티에 시계가 눈에 띈다.

석씨의 경제철학은 '일단 저질러놓고 땜질하자'는 것이다. 처음에 서울 변두리의 생맥주집에 눈독을 들였을 때, 그가 가진 돈은 인수대금의 30%밖에 되지 않았다. 전 주인의 사채 빚을 떠 안는 조건으로 가게를 넘겨받았다. 헌데 그 사채 빚이라는 것이 놀랄 정도였다. 원금이 1,000만 원이었는데 이자에 이자가 붙어 2,500만 원을 훌쩍 넘었던 것. 배보다 배꼽이 큰 형국이다.

석종호 씨는 사채업자를 찾아가 깎아달라고 애원을 했으나 거절을 당했다. 그러다가 고향 선배가 남대문 인근에서 돈놀이를 하고 있다는 사실을 알게 되었다. 수소문 끝에 선배를 찾아가 돈을 빌려 빚을 갚았다. 이자율이 낮은 사채로 갈아탄 셈이다.

석씨는 생맥주 집을 운영하다가 주변의 스탠드바가 매물로 나온 것을 보고 '또다시 일을 저질렀다'고 한다.

"일단 저지르고 나면 빚을 갚으려고 기를 쓸 수밖에 없어요. 술집이라는 게 단골손님만 많이 확보하면 너끈하게 남는 장사이니까 이만한 것이 없지요. 술집 하는 사람들을 보면 죄다 씀씀이가 커요. 돈을 모으지 않아서 힘든 것이지, 아끼기만 하면 세상에 걱정할 일이 없습니다."

석씨는 스탠드바를 운영하다 지금은 고급 술집 2곳을 경영하고 있다. 사채업에 손을 댄 것은 돈놀이가 '물장사'보다 덜 위험하기 때문이라고 한다. 술집의 속성상 여러 위협에 항상 시달릴 수밖에 없다는 것이다.

그는 작년에 모교의 건물을 개축하는데 1,000만 원을 내놓았다고 자랑을 했다. 동기동창 가운데 가장 많은 금액이었다고 거듭 강조했다.

"사실은 우리 아이들이 제가 하는 일을 알게 될까 봐 겁이 나요. 지금까지는 학교에서 가정 조사를 할 때마다 자영업을 한다고 했는데요. 애들이 눈치 챈 것 같지만 제 입으로 얘기하기가 좀 뭣해서요. 그래도 후회는 없습니다. 이렇게 안 벌었으면 제가 무슨 재주로 돈을 벌었겠어요."

100명의 부자들에게 "개처럼 벌어 정승처럼 쓴다는 속담이 있습니다. 외지고 험한 곳에서 돈이 많이 벌린다고 말씀하시는 분들이 적지 않은데 이것에 귀하도 동의하십니까?"라고 물었다. 57명이 '동의한다'고 응답했다. 위험한 장사가 많이 남는다는 대답인 셈이다.

그러나 31명은 '동의하지 않는다'는 의견을 분명히 제시했다. 의사나 변호사 등의 전문직 또는 전문 경영인들이 대체로 반대의견을 제시했다. 일부는 "돈을 못 벌면 못 벌었지 추잡한 일을 하고 싶지는 않다"고 답변했으며, "품위에 어긋나는 일을 해서는 안 된다"는 응답도 있었다. 선택의 폭이 비교적 넓었던 고학력 소유자일수록 자신의 체면에 대해 신중하게 생각하는 편이었다.

우선 저질러놓기가 돈 버는 신념

집을 장만했다면, 지금은 어떤 목표로 적금을 붓고 있는가? 얼마를 모아 무엇에 투자하려고 하는가? 목표액만큼 돈을 모은 뒤에야 움직이려고 하는가? 그 목표액을 더욱 높일 생각은 없는가?

구자훈 씨의 주유소에 찾아갔을 때 그는 수화기에 대고 소리를 지르고 있었다. 누군가를 설득하는 것 같았다. 상대방이 요지부동인 모양이었다. 구씨는 "나는 너 생각해서 얘기한 건데 그런 식이면 앞으로 국물도 없을 줄 알아"라고 협박을 하더니 전화를 끊었다.

구씨는 서울 강남지역에서 꽤 큰 주유소를 운영하고 있다. 그것 외에도 빌딩과 상가 점포를 가지고 있는 알부자다. 그는 몰락한 집안의 장남으로 자랐다. 부친은 무능력했고, 그는 나이 차이가 많이 나는 배다른 동생들까지 돌보았다. 일찍 돈벌이에 눈을 떠 동생들 학비를 댔고,

그 중 하나는 외국에서 박사학위를 받기까지 도와주었다. 구씨를 소개해 준 사람을 통해 그런 이야기를 들을 수 있었다.

그가 전화로 다툰 상대는 막내 동생이었다. 전자공학 박사인 동생은 대기업에서 연구원으로 일하고 있다. 구씨는 "동생이 지지리도 말을 듣지 않는다"고 불평을 했다. 형제가 다툰 이유는 오피스텔 투자 때문이었다. 구씨는 평소 알고 지내던 건설회사 임원에게서 오피스텔 투자를 제의 받았다. 일반분양 전의 '특별분양*'이라는 조건이었다. 구씨는 그 입지를 따져본 다음 동생들에게 투자를 해보라고 제안을 했다.

3명의 동생은 일제히 난색을 보였다. "앞으로 3년간 1억 원 이상을 부어야 할 텐데 그럴 만한 여유가 없다"는 것이었다. 구자훈 씨가 파악을 해보니 동생들에게는 투자할 만한 여력이 있었다. 첫째 동생은 적금 탄 돈 3,000만 원을 가지고 있었고, 여동생에게는 3,500만 원의 여유자금이 있었다. 막내 동생 역시 2,000만 원이 넘는 돈을 적금에 부어놓았다.

구씨가 오피스텔 투자를 권한 것은 동생들에게도 안정적인 투자 수입이 있어야겠다는 판단에서였다. "1억 원짜리 오피스텔을 사면 50만 원 이상 월세를 받을 수 있어요. 은행 이자보다는 낫잖아요."

그러나 동생들의 입장은 "모자란 돈은 어떻게 충당하느냐"는 것이었다. 이에 대한 구씨의 생각은 이랬다. "그러니까 더욱 허리띠 졸라매고 모아야지요. 계약금을 내고 나면 중도금은 1년에 두어 번 붓게 되어 있어요. 거기에 맞춰서 돈을 모으면 되는 것 아닙니까. 그리고 마지막 잔금은 보증금을 받거나 은행에서 대출을 받아내면 되고요."

부자들에게 '돈을 충분히 모아 사들인다'는 생각은 없다

구씨는 이런 논리로 동생들을 설득했다. 여동생은 "오피스텔 값이 오를지는 모르겠지만 어쨌든 1억 원을 모을 수 있으니까 투자를 해보겠다"고 나섰다. 첫째 동생도 비슷한 생각이었다. 이들은 수천만 원을 이미 만들어놓고도 1억 원을 모으는 것이 어렵다고 생각한 것이었다. 여동생은 1억 원을 가져야 오피스텔을 살 수 있는 줄 알았다고 한다. 다만 막내 동생은 미지근한 반응이었다.

"그러게, 박사학위 따봐야 소용없다니까요. 고등학교 중퇴한 나만도 못 하니 대학에서 뭘 배우는 건지…. 그 녀석은 월급이 제일 많은 놈인데 그렇게 칠칠맞아요. 있는 돈으로 계약금 내고 중도금 한 번씩 내고 한 달에 200만 원씩 적금 부으면 계산이 딱 나오는데요."

200만 원이 동생들에게 큰 액수라는 것을 구씨는 알고 있다. 그렇게 많은 돈을 적금에 붓고 나면 빠듯한 긴축생활을 해야 한다. 그렇지만 자신의 밑에서 온실 화초처럼 자라온 동생들에게 그런 정도의 시련은 반드시 필요하다는 것이 구자훈 씨의 신념이기도 하다.

그는 건설 중인 부동산의 경우 좋은 물건이라는 판단이 서면 무리를 해서라도 구입을 해야 한다고 말한다. 지금 당장 25~30%의 현금을 가지고 계약할 수 있으므로 과감하게 저지르는 것이 자신의 스타일이라고 한다. 물론 시공 기간과 앞으로의 수입 등을 종합적으로 따져보는 것이 무엇보다도 중요하다.

"제가 가진 부동산 중에서 돈을 다 주고 산 것은 하나도 없어요. 망한 사람의 빚을 떠 안기도 했고 은행 빚도 많이 얻어 썼어요. 하기야 그만한 돈을 전부 모아서 사는 것이 가장 좋겠죠. 그런데 세상이 어디 기다려주나요. 저축해서 달려가면 이미 팔리고 없는걸요. 돈이 부족하다고 자꾸 미루면 기회가 없어집니다."

부자들은 무모한 투자가이기도 하다. '돈을 충분히 모아서 사들인다'는 것은 부자가 되어보지 못한 사람들의 계획일 뿐이다. 부자들은 일단 사고, 그 다음에 돈을 모은다. 저축을 하면서도 끊임없이 주변을 두리번거려야 하는 이유가 여기에 있다. 무리를 해서 부동산을 사고 나면 저축의 목표가 또 한 차례 상향조정된다. 이런 과정이 끊임없는 상승효과를 일으켜 부자의 길로 인도해 준다. 저질러놓고 그것을 막는 과정은 고통스럽다. 부자가 되는 과정에 고통은 필수다.

**Note

*특별분양 : 건설회사가 일부 물량을 미리 정해 한정된 사람만을 대상으로 사전 분양을 하는 것을 말한다. 지금은 부동산 시장이 과열되어 오피스텔 선착순 분양이 금지되었으나, 구씨를 만났을 때는 오피스텔을 분양 받기 위해 사람들이 장사진을 치던 때였다.

코너에 몰려 시작하기

"쓰는 것이 너무 즐거운 습관이라서
모으는 즐거움을 발견하지 못할 뿐이다."
— 이광보(가구업) —

부자의 출발은 우리와 다르지 않다. 똑같은 지점에서 시작하는 것이다. 100명의 부자들 가운데 상당수는 평범한 샐러리맨 출신이었다. 이들 역시 보통 사람들처럼 적금을 부어가며 돈을 모았다. 그러나 부자들과 그렇지 못한 사람들 사이에는 큰 차이가 나타난다. 그 차이가 확대되면서 경계를 가르게 된다.

적금을 붓고 있는가? 그렇다면 어떤 기준에 의해 적금 불입액을 결정했는가? 이 문제부터 따져보아야 한다.

수입액의 절반은 저축

부자가 아닌 전기영 씨의 경우를 보자. 필자의 친구다. 그는 회사에서 매달 280만 원의 월급을 받고 있다. 그 월급에서 세금에 연금, 보험료 등 온갖 명목으로 전씨가 만져보지도 못한 돈 33만 원이 빠져나간다. 247만 원이 전씨의 계좌로 입금된다.

전기영 씨와 그의 아내는 한 달 생활비로 150만 원을 책정해 놓았다. 97만 원이 남는다. 이 중 30만 원은 전씨의 용돈으로, 37만 원은 예비비로 잡는다 . 여유자금은 30만 원 정도다. 그래서 전씨는 매달 30만 원씩 적금을 붓는다.

부자 설종관(포목점 및 임대업) 씨는 계산하는 방식이 다르다. 설씨는 매달 수입액의 절반을 저축하는 것을 원칙으로 정해놓고 있었다. 월급 봉투를 받던 시절에는 곧바로 은행에 가서 적금을 내고, 남은 돈을 아내에게 갖다주었다. 은행 업무 자동화가 완료된 지금은 자동이체를 통해 매달 700만 원씩 저축하고 있다. 자신이 만져보기도 전에 금융기관 계좌로 들어가도록 조치를 취해놓은 것이다.

다시 전기영 씨의 얘기로 돌아가 보자. 전씨의 아내는 항상 불평을 한다. 쥐꼬리만한 생활비로 살아가기 힘겹다는 것이다. 초등학교에 다니는 아들 과외비와 딸 아이 유치원 학비를 내고 나면 100만 원도 남지 않는다. 그 돈으로는 생활이 어렵다고 한다. 예비비까지 생활비로 사용하게 된다. 집안에 경조사가 많은 달에는 죽을 맛이다. 전기영 씨 역시 항상 돈에 쪼들린다. "한 달 용돈 30만 원으로 어떻게 살 수 있겠느냐"는 것이 그의 불만.

설종관 씨가 직장생활을 하다가 돈을 모으기로 결심했을 때, 월급의 실수령액은 48만 원이었다. 20여 년간의 인플레이션을 감안하더라도 전기영 씨의 현재 소득에 비해 나을 것이 없다. 설씨는 이 가운데 24만 원씩 떼어내 정기적금을 붓기 시작했다. 그 역시 나머지 24만 원을 가지고 생활하는 것이 쉽지는 않았다고 한다.

설씨가 돈을 모으기로 결심한 것은 소작농인 부친에게 논 몇 마지기를 사드리기 위해서였다. 악착같이 돈을 모으기로 결심하고 적금을 부었는데 그 와중에 부친이 타계했다. 설종관 씨는 그렇게 모은 돈 1,500만 원을 가지고 시장에서 포목 장사를 시작했다. 장사를 할 때도 수입의 절반은 반드시 저축한다는 원칙을 지켰다. 포목 장사를 할 때의 목표는 시장 입구에 있는 3층짜리 건물을 사는 것이었으며, 이후 그 건물을 구입할 수 있었다. 그의 다음 목표는 땅을 사서 새 건물을 짓는 것이었다.

설씨는 "당시에는 돈을 쓸 일이 많지 않아 지금보다는 저축을 하기 유리한 조건이었다"고 말한다. 아이를 유치원에 보내지 않는다고 해서 창피할 것이 없었다. 더구나 외식이나 여행 등 여가생활을 생각하기 힘든 때였다. 그러나 설씨는 "돈 벌어서 할 것 다하고 나면 언제 부자가 되겠느냐"고 반문한다.

부자가 아닌 사람들은 생활비를 빼고 난 나머지를 저축

부자들은 전기영 씨처럼 '단순히 돈을 모으기 위해' 저축을 하면 절대로 부자가 될 수 없다고 이야기한다. 명확한 투자 대상을 설정하고 그것을 구입하려면 얼마가 필요한지 파악하여 저축 규모를 정해야 한다는 것이다. 막연한 저축은 불필요한 소비로 이어지게 되어 있다. 멀쩡한 자동차를 팔고 신형으로 교체하거나 해외여행 경비로 새어나가는 경우가 많다.

부자가 아닌 사람들은 생활비를 빼고 난 나머지 금액을 저축한다. 반면 부자가 된 사람들은 목표를 세운 뒤, 그것을 달성할 수 있도록 저축 액수를 결정하고 있었다. 생활은 그 다음 문제다.

건물 임대업을 하고 있는 최진형 씨는 "스스로를 코너로 몰아 가혹하게 다그쳐야 한다"고 말한다. 목표를 정하고 나면 무리가 되더라도 적금 불입액을 높인다. 그 다음에 생활의 모든 목표를 거기에 맞춰야 비로소 목돈이 쌓인다는 게 최씨의 지론이다.

그래서 부자가 되는 것은 눈을 뭉치는 것과 비슷하다고 한다. 처음에 힘을 주어 다지고 나면 굴려서 크게 만들 수 있다는 얘기다. 어쩔 수 없이 돈을 모을 수밖에 없도록 자기 시스템을 만들어놓는 것에서 부자 인생은 출발한다.

직장에 다니는 사람들은 가끔 이런 생각을 한다. '까짓 거. 회사 그만두면 퇴직금으로 장사나 하지.'

그러나 부자들은 "퇴직금은 별반 도움이 되지 않는다"고 말한다. 젊어서 퇴직해 봐야 몇 푼 되지도 않고, 나이가 들었을 때는 퇴직금으로 할 만한 일이 없다는 것이다. 부자들은 자신들의 밑천 1순위로 적금을 꼽았다. 그렇게 모은 쌈짓돈으로 주식 투자도 하고 부동산을 사들여 재산을 키워갔다는 것이다.

주식 투자에서 '대박'은 절대 기대하지 않는다

"운동이나 공부나, 기본이 중요하다.
기본이 안 되면 실력이 늘지 않는다. 돈도 그렇다."
— 손익래(무역업) —

'이들이 주식을 사면 주가가 빠지고, 주식을 팔면 오른다.' 이 말은 한 인터넷 증권정보 사이트의 게시판에 올라 있는 것으로, 개미투자자를 두고 하는 말이다. 자조 섞인 농담이지만, 그 이면에는 아픔이 내재되어 있다. 주식 투자를 해서 몇 푼 건졌다 싶으면 그때부터 내리막길이다. 주변에서 주식만으로 돈을 벌었다는 사람을 찾기 힘든 이유를 이해할 만하다.

주식 투자해서 '떼돈' 번 사람은 많지 않다

부자들 역시 마찬가지다. 주식 투자를 해서 '떼돈'을 벌었다는 사람은 소수에 불과했다. 주식 투자만으로 부자가 될 가능성이 희박한 셈이다. 설문에 응한 일부 부자(19명)는 "큰 손실을 입은 뒤로는 아예 보

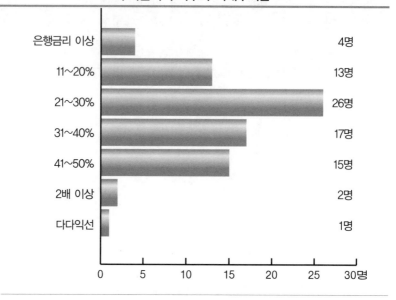

부자들의 주식투자 기대수익률

은행금리 이상	4명
11~20%	13명
21~30%	26명
31~40%	17명
41~50%	15명
2배 이상	2명
다다익선	1명

지도 않는다"고 응답했고, 다른 몇몇(3명)은 "주식에 투자해 본 일이 없다"고 잘라 말했다.

하지만 부자들 중에는 주식 투자의 고수들이 있었다. 고수들은 "수업료를 치를 준비가 되어 있어야 주식 투자로 돈을 벌 수 있다"고 입을 모았다. 처음에는 어느 정도 손실을 볼 각오를 하고 달려들어야 한다는 얘기다.

부자들을 취재하는 과정에서 흥미로운 대목을 발견할 수 있었다. 그 것은 이들의 주식 투자 기대수익률이 그리 높지 않다는 것이었다. 주식 투자를 하고 있는 78명(펀드 등 간접 투자자 포함) 가운데 26명이

'21~30%의 수익률을 기대한다'고 응답했다. 31~40%를 기대하는 이들은 17명, 41~50%로 수익률을 기대한 이들은 15명이었다. 11~20%가 13명, '은행 금리 이상'이 4명 순이었다. 2명은 '2배 이상의 수익을 원한다'고 대답했으며, '다다익선'이라고 말한 이는 1명이었다.

특이한 것은 지난 2000년 초반의 코스닥 활황에 앞서 벤처기업 주식을 취득했다가 주가가 폭등해 큰돈을 벌었던 이준수 씨마저 기대 수익률을 21~30%선으로 보았다는 점이다.

"그때는 정상적인 시기라고 볼 수 없지요. 앞으로 다시는 그런 때가 오지 않을 겁니다. 저야 엉겁결에 돈을 벌었지만, 지금은 보수적으로 투자를 해요. 회계사 일을 해서 번 돈으로 생활비를 쓰고 임대료 수입은 저축을 하거나 펀드에 넣었어요. 주식은 얼마 안 합니다. 그냥 재미로 하는 수준이죠."

이씨가 '얼마 안 한다'는 주식 투자 금액은 10억 원 수준이었다.

사람들은 흔히 '따블에 따따블은 되어야 주식 투자할 맛이 난다'고 생각하는 경향이 있다. 그 정도는 이익을 볼 수 있어야 위험을 감수할 수 있는 것 아니겠느냐는 생각에서다. 따라서 부자들이 기대 수익률을 그리 높게 잡지 않는다는 것에 대해 '밑천이 워낙 많으니까 수익률을 낮게 잡아도 그 액수가 만만치 않을 것'이라고 치부할 수도 있겠다. 하지만 이는 잘못된 판단일 가능성이 높다. 돈을 많이 모은 뒤에 주식 투자자가 된 사람도 있지만, 샐러리맨 시절부터 주식 투자를 통해 알차게 벌어들인 사람도 있기 때문이다.

우상기 씨가 그런 사람이다. 우씨의 주식 투자 기대 목표는 '30%'이다. 그 이상은 바라지 않는다는 것.

주식 투자, 일단은 이기는 게 중요하다

우씨는 지난 1980년대 초반, 대기업 계열사의 과장으로 근무하던 중 주식 투자를 하다가 빚만 진 채 사표를 냈다. 아파트를 팔아 부채를 갚은 뒤 부모형제 집을 전전하다가 사업을 시작했다. 친척들이 '전세 돈에 보태 쓰라'고 모아준 돈에 친구들 돈까지 빌려 중장비 한 대를 장만한 것이었다.

그런데 중장비 기사가 무너지는 골조에 깔려 숨지는 사고가 일어나는 바람에 10개월 만에 사업의 종말을 지켜봐야 했다. 중장비를 넘긴 돈으로 유족에게 위로금을 주고 나니, 다시 빈털터리 신세가 됐다. 빚을 갚으려면 안정적인 수입이 필요하다 싶어 다시 대기업에 입사했다.

우씨는 그 대기업에서 새로운 기회를 만났다.

"참 좋은 회사인데 주가가 영 오르지 않더라고요. 경쟁사들 주가의 반 토막도 안 된다는 것이 이해하기 힘들었습니다. 그래서 장인어른을 설득해서 땅 판 돈을 빌려 주식을 샀지요*. 1년도 안 돼서 빚을 다 갚고 전세 돈을 장만했습니다."

그리고 1988년과 1989년 증시 호황이 찾아왔다. '여의도(증권가)의 견공도 10만 원권 자기앞수표를 물고 다닌다'는 우스갯소리가 나돌던 때였다. 우씨가 샐러리맨 생활을 하면서도 큰돈을 벌 수 있었던 것은 특유의 '30% 법칙'에 힘입은 바 크다.

전 직장에서 주식 투자로 가산을 탕진했던 그는 '욕심이 화를 부른

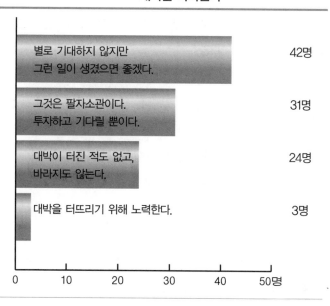

대박을 바라는가

별로 기대하지 않지만 그런 일이 생겼으면 좋겠다.	42명
그것은 팔자소관이다. 투자하고 기다릴 뿐이다.	31명
대박이 터진 적도 없고, 바라지도 않는다.	24명
대박을 터뜨리기 위해 노력한다.	3명

다. 30%면 많이 버는 것이다'라는 나름의 원칙을 세웠고, 이를 철저하게 지켰다. 그는 주식을 살 때마다 증권사 객장의 담당 직원에게 "당신 마음대로 거래하지 말라"고 신신당부했고, 목표 수익률에 도달했을 때에야 주식을 처분했다.

우씨가 반드시 그 원칙을 지킨 것만은 아니다. 그 이상의 수익률을 노리고 베팅을 한 적도 있었고, 그러다가 손실을 본 경우도 없지 않다고 한다. 그는 주식 투자를 고스톱에 비유했다.

"주식 투자는 고스톱과 비슷한 게 많아요. (고스톱에서) 기본 점수를 내는 것이나, (주식 투자에서) 조금 이익을 올리는 것이나 그렇게 어렵지 않습니다. 그런데 욕심이 꼭 화를 불러요. 더 먹으려고 '쓰리고' 를 했다가 바가지를 쓰는 게 그렇죠. 주식도 그렇습니다. 판세를 보면 뻔히 기본만 먹는 판인데, 자꾸 무리하게 '고' 를 부르니까 결국에는 본전도 못 건지는 거죠."

그는 "고스톱에서 가장 중요한 것은 기본 점수 3점을 내느냐 못 내느냐 하는 것"이라고 말한다. 일단은 점수를 내서 이겨야 한다는 것이다. 작은판은 내주고 큰판만을 먹겠다고 덤비는 사람들이 있지만, 진정한 고수가 아니라면 그런 생각은 위험하다는 얘기다.

결국 우씨의 주장은 3점씩 내가면서 흐름을 읽다가 큰판에서 과감하게 베팅할 줄 알아야 한다는 것이다.

주식 투자를 하지 않는 사람들을 포함해 100명 모두에게 "이른바 대박을 바라는 편입니까?" 라고 물었다.

답변은 예상대로였다. 절반에 가까운 42명이 '별로 기대를 하지는 않지만 그런 일이 생겼으면 좋겠다' 고 솔직하게 응답했고, 31명이 '그것은 팔자소관이다. 투자하고 기다릴 뿐이다' 라고 답변했다. 24명이 '대박이라는 것을 맞아본 적도 없고 바라지도 않는다' 고 이야기했다. '대박을 터뜨리기 위해 노력한다' 고 말한 사람은 고작 3명이었다.

투자의 가장 큰 적은 '공포' 와 '욕심' 이다. 돈을 잃을지도 모른다는 공포를 극복해야 비로소 투자가 시작된다. 그리고 더욱 많은 돈을 벌겠다는 '쓰리고의 유혹' 을 제어 할 수 있어야 자신이 거둔 수익을 안전하게 지켜낼 수 있다.

뉴스에 모든 정보가 있다

주식 투자자들에게 철칙처럼 통하는 말이 있다. '소문에 사고 뉴스에 팔라'는 것이다. 그래서 수많은 사람들이 소문에 촉각을 곤두세운다. 여의도만큼 소문이 빠른 곳도 없다. 경제는 물론 정치, 국제 등 온갖 루머가 입소문과 인터넷을 통해 몇 초 단위로 떠다닌다.

정작 뉴스가 나오고 나면 끝물마저 지난 경우가 많다. 정보 입수에 빠른 투자자들이 먼저 주식을 사서 들고 있다가 뉴스에 그 소식이 나오면 팔아 차익을 챙기게 되므로 촉각이 발달하지 못한 투자자는 재미를 보지 못하게 된다. 이런 이유 때문인지 개미투자자들에게 '소문에 사고 뉴스에 팔라'는 말은 그림 속의 떡이나 다름없는 것으로 치부되기도 한다.

루머에 민감한 종목에서는 손을 떼라

그러나 주식 투자로 재미를 보는 부자들은 "뉴스가 늦은 것이 아니라, 투자자의 식견이 잘못되었기 때문"이라고 주장한다.

박윤섭 씨는 "주식시장에는 두 가지 종목이 있다"고 단언한다. 하나는 루머에 민감한 종목이고, 다른 하나는 루머와 관계없는 종목이라는 것이다. 박씨는 서울 중심가에서 패스트푸드 전문점을 운영하고 있다. 본사에서 직원 교육을 시키고 노하우까지 일괄 전수해 주므로 박씨가 할 일은 마감 후에 돈 세는 것밖에 없었다. 그래서 심심풀이로 해본 주식 투자에서 큰돈을 날린 뒤 "나름대로 도가 텄다"고 말한다. (하지만 박씨의 자부심에도 불구하고 주식시장에 영원한 승자는 없다는 것이 필자의 생각이다.)

박씨는 "주식으로 돈을 벌려면 루머에 민감한 종목에서 관심을 끊는 것이 그 시작"이라고 주장한다. 루머에 민감하게 움직이는 종목의 경우 '세력의 손을 탄 종목'이라는 것이 그 이유다.

"생각해 봐요. 작전세력이 주가를 올리기 전에 미리 매집을 해놓고 나서는 루머를 흘리는데, 그 다음에 들어가 봐야 큰 손실을 입지 않으면 다행이죠. 상식적으로 생각해도 우습지요? 루머를 만들어내는 작전세력보다 빨리 들어가서 주식을 살 수 있겠느냐고요. 동시에 사는 것도 불가능합니다. 곁불을 쬔다고 늦게 들어가서 몇 푼 건질 수는 있지만, 그런 경우는 거의 없다고 봐야지요."

박윤섭 씨는 "직업적인 투자자라면 모르겠지만 그렇지 않은 이상, 루머에 움직이는 주식을 고려해야 할 이유가 없다"고 주장했다.

박철규 씨는 "모든 투자 정보는 뉴스에 잡히게 마련"이라고 말했다. 다만 투자자들이 그 뉴스를 제대로 해석해 내지 못해 돈 되는 투자로 이어지지 않는다는 것이 박씨의 부언이다.

박씨의 주장은 이렇다. 예를 들어 삼성전자 주가가 약세를 보이고 있는데, 경제신문 귀퉁이 또는 인터넷 뉴스 매체에 외신이 하나 나온다. 외국의 시장조사 전문기관이 '하반기 이후 DDR D램 공급이 부족할 가능성이 높다'는 보고서를 낸 것이다. 이 같은 해외뉴스는 국내 뉴스에 비해 작게 취급되는 경우가 많다.

그러나 박철규 씨는 여기서 실마리를 찾아낸다. 'DDR D램 공급이 부족해진다면 당연히 가격이 오를 것 아닌가. 삼성전자는 DDR D램 분야에서 세계 1위 공급업체다. 주가가 오를 것이다.' 그래서 박씨는 삼성전자 주식을 사고 때를 기다린다.

박철규 씨의 패턴은 단적인 사례일 뿐이다. 예를 들면 그렇다는 정도다. 이 수준의 투자 감각은 상당수의 주식 투자자들도 훤히 꿰뚫고 있다.

박씨는 "뉴스를 해석하는 습관을 들여야 한다"고 강조한다. 시황과 종목의 가격변동을 전달하는 뉴스도 중요하지만, 분석기사와 종목 주변의 연관 분야에도 관심을 쏟아야 한다고 강조한다. 모든 뉴스에는 나름의 시그널이 있으며 그 이면을 해석할 줄 아는 안목을 길러야 한다는 것이다.

그는 경제신문을 한 번 잡으면 처음부터 끝까지 한 자도 빼놓지 않고 정독을 하는 습관을 들인 것이 시야를 넓히는 데 큰 도움이 되었다고 말한다. 지금도 하루 500건이 넘게 쏟아지는 <edaily> 뉴스를 모두 체크한다. 시간이 없을 때에는 늦은 밤이라도 컴퓨터를 켜놓고 뉴스를 점

주식 투자정보 입수 경로

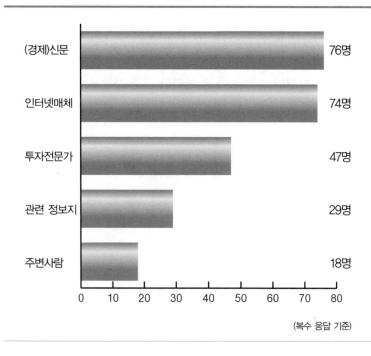

(경제)신문	76명
인터넷매체	74명
투자전문가	47명
관련 정보지	29명
주변사람	18명

(복수 응답 기준)

검한 뒤 메모를 한다.

"뉴스에 다 있습니다. 저녁에 TV 드라마 볼 시간을 아껴서 신문이나 인터넷 뉴스를 보면 주식시장을 보는 안목이 금방 높아집니다. 처음에는 더디기는 하지만 그런 안목을 키워놓아야 제대로 된 투자를 할 수 있죠."

주식 투자를 하는 부자들(78명)은 인터넷 매체(74명, 이하 복수 응답)와 경제신문(76명)을 통해 투자정보를 주로 입수한다고 응답했다. 그 다음이 투자 전문가(47명)였고, 관련 정보지(29명), 주위 사람(18

명) 순으로 나타났다.

독서량도 상당했다. 이들이 주로 보는 책은 경제경영과 주식 투자 관련서가 많았으며, '1년에 10권 이상~30권 이하'의 책을 본다고 응답한 사람이 21명이었다. '30권 이상'이라고 답한 사람도 7명이었다. 그러나 나머지 43명은 '5~10권' 정도의 책을 본다고 답했다.

part 3

부자들은 어떻게 돈을 관리할까?

[부자의 재산운용]

진정한 부자는 자린고비

"돈을 모으는 것도 그렇지만 지키는 것도 힘들다.
모을 때의 습관을 잊지 않아야 돈이 도망가지 않는다."
— 노기영(건설자재업) —

홈쇼핑 TV의 매출이 백화점 매출을 앞질렀다고 한다. 밖에 나가지 않고도 집안에서 편하게 앉아 전화 한 통으로 물건을 구입할 수 있다는 점이 소비자들에게 큰 호응을 얻고 있는 것이다. 수많은 사람들이 TV를 보다가 즉석에서 물건을 구입한다.

재미있는 것은 부자들은 홈쇼핑 TV를 통해 물건을 구입하지 않는다는 점이다. 왜 홈쇼핑 TV를 외면하는 것일까? 형편이 넉넉한 이들에게는 가장 손쉬운 물건 구입 방법일 텐데 말이다. 게다가 상당수의 홈쇼핑 TV는 밤늦은 시간에 값비싼 사치품을 팔기도 한다. 물건은 금방 동이 난다.

부자들은 홈쇼핑 절대 안 한다

100명의 부자들에게 "본인의 소비 태도에 대해 가족들이 어떻게 생각하느냐?"라고 물었다. 그 응답 결과는 예상과는 딴판이었다. 100명 가운데 41명이 '인색하다'는 평가를 받고 있다고 말했다. 27명은 정도가 더 심해 '매우 인색하다'는 불만을 사고 있었다.

조사 대상자의 68%는 집에서 '자린고비'로 치부되는 셈이다. 25명은 가족들로부터 '그저 그렇게' 돈을 쓰는 사람으로 분류되었으며, 6명만이 '후한 편'으로 분류되었다. 1명은 '잘 모르겠다'고 응답했다. '매우 후하다'고 응답한 사람은 한 명 도없었다.

이 같은 결과를 어떻게 해석해야 할지 혼란스러웠다. 수십억~수백억대 재산가들이 이처럼 돈을 쓰지 않는다면 홈쇼핑에서 불티나게 나간다는 사치품들은 과연 누구에게 팔리는 걸까?

그래서 의구심이 들었다. 혹시 부자 가족들의 눈이 너무 높아서 그런 건 아닐까? 인간의 욕심에는 끝이 없다. 지금의 소비생활도 높은 수준이지만, 사고 싶은 것이 더욱 많아서 남편, 아내 또는 부모에게 불만을 가질 수 있을 것이다. 또한 100명의 부자들이 취재에 응하면서 겸손을 취했을 가능성도 배제할 수 없다. 부자들의 소비 행태에 대한 사회의 따가운 눈초리를 의식했을 것이기 때문이다.

하지만 이런 의구심은 몇몇 부자들과 대화를 나누면서 해소되었다. 이들에게는 정말 자린고비의 일면이 있었다. 그러나 전적으로 자린고비만도 아니었다. '소비의 잣대'가 다를 뿐이었다.

가족들의 평가

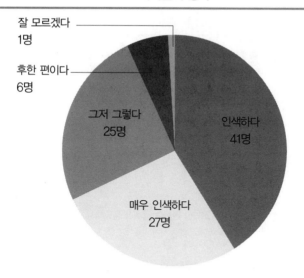

잘 모르겠다
1명

후한 편이다
6명

그저 그렇다
25명

인색하다
41명

매우 인색하다
27명

　최충호 씨와 함께 전자제품 매장인 테크노마트에 간 적이 있었다. 그는 어떤 사진동호회에서 활동하고 있었는데, "테크노마트가 문을 닫기 전에 사야 할 것이 있다"면서 취재 도중 자리에서 일어났다.

　어쩔 수 없이 그의 차를 함께 타고 가면서 취재를 계속했다. 난생 처음 '렉서스'란 고급 승용차에 타보았다. 그는 이곳 저곳을 다니면서 물어보기도 하고 흥정도 하더니 가장 구석진 매장으로 갔다. 거기에서 카메라용 필터와 렌즈 캡(뚜껑)을 몇 가지 구입하면서 가게 주인과 실랑이를 벌였다. "이렇게 많이 사는데 서비스로 뭐 하나 줘야 할 것 아니냐"면서 주인을 몰아세웠다. 기필코 우격다짐으로 하나를 빼앗아 가방에 넣었다.

　최씨는 "여기가 총판점이지요. 다른 데서는 바가지를 씌우기도 해

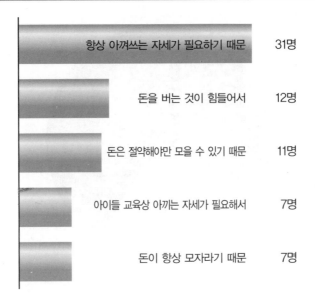

돈을 아끼는 이유는

항상 아껴쓰는 자세가 필요하기 때문	31명
돈을 버는 것이 힘들어서	12명
돈은 절약해야만 모을 수 있기 때문	11명
아이들 교육상 아끼는 자세가 필요해서	7명
돈이 항상 모자라기 때문	7명

요. 여기서 2,000원 하는 것을 다른 곳에서는 5,000원 받는 곳도 있다니까요?"

"회장님은 부자인데 몇 천 원 가지고 그러십니까?" 하고 물었더니, "싸게 살 수 있는 것을 왜 비싸게 사야 하느냐"고 되묻는다.

부자들이 홈쇼핑 TV를 멀리하는 이유는 '물건값이 결코 싸지 않다'는 것이었다. 이들은 "홈쇼핑이 백화점보다는 저렴하지만, 다른 곳에서 더 싼 가격에 살 수 있는데 굳이 홈쇼핑을 이용할 이유가 없다"고 지적했다.

진성호 씨는 "아내가 홈쇼핑에서 가전제품을 사는 바람에 다툰 적이 있다"면서, "아예 홈쇼핑을 볼 수 없게 케이블을 잘라버렸다"고 말했다. 일부 부자는 가족들에게 "홈쇼핑에서 물건 사면 경을 칠 줄 알라"는 포고령을 내려놓고 있었다.

이들에 따르면 홈쇼핑에서 파는 물건은 시중에서 팔리는 모델과 다른 경우가 종종 있다고 한다. 파격적인 할인 가격처럼 보이지만, 한물간 모델이거나 홈쇼핑 판매만을 위해 기획된 상품이 대부분이라는 것이다. 쇼핑하기 전에 꼼꼼하게 따지는 그들의 습관에 견주어보면 과장만은 아닐 듯싶다.

안 쓰는 것이 부자의 출발점

진성호 씨는 '반주가 습관'이라며 저녁식사 자리에서 소주를 주문했다. 후줄근해 보이는 식당이었는데 그의 단골집이란다. 진씨는 식당 주인에게 "이곳의 제육볶음이 별미"라고 치켜세우고는 "소주는 샘플 남은 것으로 달라"고 했다. 주류 회사마다 판촉을 위해 식당에 무상 공급하는 물량이 있는데 그것을 내놓으라는 것이었다. 진씨는 샘플 소주 2병을 마신 뒤 자리에서 일어났다. 진씨도 똑같은 말을 한다. "공짜로 먹을 수 있는데, 왜 돈 내고 먹어요?" 그 말을 들은 식당 주인이 고개를 설레설레 저었다.

진성호 씨는 "물건을 살 때는 반드시 세 번을 생각한다"고 이야기한다. 처음에는 그 물건이 꼭 필요할 것 같지만, 다시 생각하면 그 효용이 반반이고, 거듭 생각하면 필요 없는 물건일 경우가 많다는 것이다. "끝까지 판단이 애매한 물건은 불필요한 것일 가능성이 높아요. 그럴 때 사면 꼭 후회하게 되죠."

바가지를 쓰면 분해서 잠을 자지 못하는 것이 바로 부자들이다. 노기영 씨는 "골프 채 아이언 세트를 친구보다 10만 원이나 비싸게 샀다"면서, "아침 먹은 것이 소화가 안 된다"고 했다. 매장 직원과 전화로 다투던 그는 "10만 원을 돌려받든가 아예 환불을 받아야겠다"면서 서둘러 나갔다.

부자들이 홈쇼핑을 싫어하는 가장 큰 이유는 '돈을 낭비하게 만든다'는 것이었다. 의사 김인철 씨는 "홈쇼핑은 필요하지도 않은 물건을 자꾸 사게 해서 주머니를 축내는 바람잡이"라고 말했다. 반드시 있어야 할 물건이 아닌데도, 남들이 많이 사니까 매우 중요한 것처럼 착각하게 돼 구입하게 된다는 것이다. 이처럼 덤벙덤벙 물건을 사다 보면 나쁜 습성이 몸에 밴다고 김씨는 강조했다.

가족들로부터 '짜다'는 평가를 받고 있는 68명의 부자 중에서 31명은 '항상 아껴 쓰는 자세가 필요하기 때문에 돈을 아낀다'고 응답했다. 12명은 '돈을 버는 것이 힘들기 때문'에 자린고비 행세를 한다고 했다. 11명은 '돈은 절약해야만 모을 수 있다'고 말했으며, 7명은 '아이들 교육상 필요하다'고 답했다. 나머지 7명은 '돈이 항상 모자라기 때문에', '원하는 대로 해주면 한이 없기 때문에', '아이들이 철부지라서' 등의 응답을 했다.

부자들은 돈을 내고 무엇인가를 사는 것에 대해 매우 신중한 모습을 보였다. 부자들은 '안 쓰는 것이 부자의 출발점'이라고 입을 모았다.

수입은 일정한데, 쓰다 보면 돈이 모일 턱이 없다는 것이었다. 부자들에게도 수입은 일정하다. 갑자기 수입이 곱절로 늘어나는 일은 거의 없다. 이들이 여전히 부자인 것은 수입을 늘리면서도 지출은 엄격하게 통제하기 때문이다. 지출을 관리하는 것이 몸에 밴 덕분이다. "꼭 필요하다면 다리품을 팔아 최소한의 비용으로 싸게 사라"고 부자들은 말한다.

부자들에게 과소비는 없다

"나는 능력 범위에서 쓰는데
왜 과소비라고 하는지 모르겠다."
― 지형선(임대업) ―

TV 화면에 비춰진 부자들은 돈을 펑펑 쓰는 사람들이다. 값비싼 외제차를 타고 사치품을 마구잡이로 구입한다. 부자들은 돈을 주체하지 못해 사치생활을 즐기는 것으로 묘사된다. 대부분의 부자들이 실제로 그렇게 살고 있다고 믿게 만든다. 드라마에서 부자들은 가난한 주인공 앞에서 호기를 부리고, 뉴스에서는 '돈 있는 사람들의 과소비로 나라 경제가 우려된다' 면서 백화점의 고급 수입품 매장을 들쑤신다.

돈을 쓰는 것은 재미있는 일이다. 자신이 가지고 싶은 것을 사고, 하고 싶은 일을 하는 것만한 즐거움이 또 어디 있겠는가? 부자들에게도 돈 쓰는 것은 신나는 일이다. 이들에게도 돈은 쓰라고 있는 것이다. 돈은 '돌아야' 돈이다. 금고 속에 박혀 움직이지 않는 돈은 돈이 아니다.

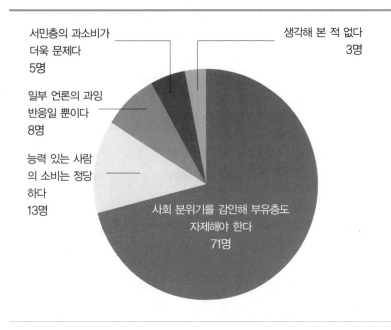

부자들의 과소비에 대한 생각

서민층의 과소비가
더욱 문제다
5명

생각해 본 적 없다
3명

일부 언론의 과잉
반응일 뿐이다
8명

능력 있는 사람
의 소비는 정당
하다
13명

사회 분위기를 감안해 부유층도
자제해야 한다
71명

부자들은 어떻게 돈을 쓰나

부자들의 지출을 살펴보는 것은 흥미로운 일이다. 부자 100명에게
'한 달간 생활비'를 물었다. 가장 많은 46명이 '한 달 소득의 21~30%
를 생활비로 쓴다'고 응답했다. 소득의 11~20%가 31명이었으며, 그
다음이 소득의 10% 이내로 19명이었다. 31%를 넘는 사람은 4명뿐이었다.

'10% 이내'라고 응답한 사람들은 이른바 수백억대 이상의 부자들이
었다. 이들은 소득에서 생활비로 사용하지 않는 부분을 저축(투자)하
는 경향이 뚜렷했다. 부자가 된 이후에도 거의 모든 수입을 저축 또는

투자하고 있는 셈이다. 부자들은 '여행, 외식 등의 여가생활'에 가장 많은 금액의 생활비를 쓰고 있는 것으로 나타났다. 쇼핑과 자녀 교육비가 그 뒤를 이었다.

윤석구 씨를 찾아간 것은 추위가 한참 기승을 부리던 1월이었다. 그런데 윤씨의 얼굴이 시커멓게 그을리고, 팔뚝에는 군데군데 화상으로 피부가 벗겨진 것이 보였다. 친구들과 함께 뉴질랜드에 놀러 갔다가 골프를 많이 쳐서 그렇다고 했다. 한국이 겨울일 때 뉴질랜드는 여름이다. 윤씨는 "매분기별로 친구들과 부부동반 해외여행을 다닌다"고 말했다. 반쯤 은퇴한 사람끼리 여행모임을 만들어 세계 각국을 돌고 있다는 것이다.

그는 "아무리 먼 외국이라도 알뜰하게 다녀오면 비용이 그리 아깝지 않다"고 한다. 골프를 치는 데 들어가는 비용이 우리나라보다 훨씬 싸기 때문에 거기에서 일단 본전을 뽑는다는 것이 첫 번째 이유다. 또한 여행을 가기에 앞서 아내와 함께 국내 면세점 쇼핑을 하는 것이 두 번째 이유다. 윤씨 모임은 해외여행을 가는 시기를 대개 면세점 바겐세일 시즌으로 맞춘다. 이때 면세점에서는 소위 '명품'이라고 불리는 고급 제품을 절반 가격에 파는 경우가 있다는 것. 백화점 가격의 3분의 1에 살 수도 있으니 이런 좋은 기회를 놓칠 수 없다는 얘기다.

윤씨는 "명품은 돈 값을 하기 때문에 좋아한다"고 말한다. "오래 써도 싫증이 나지 않고, 견고하니까 아무래도 싸구려보다는 낫지요. 이왕이면 다홍치마라는데 좋은 물건 쓰는 것이 백 번 나은 거 아닙니까?"

많은 부자들이 고급제품 선호 취향을 드러냈다. 대형 외식업소를 운영하는 손길종 씨는 "싸구려 인생이 싫어서 돈을 모을 결심을 했는데, 돈을 벌기만 하다가 죽는다면 너무 억울한 것 아니냐"고 말했다. 입시학원을 운영하는 이계열 씨도 "능력 있는 사람이 돈을 쓰는 것은 과소비가 아니다"고 말했다.

부자들은 대개 자린고비다. 그러나 이들은 자신과 가족의 품위를 높이기 위한 투자에는 과감하게 돈을 쓰고 있었다. 이중적이기까지 하다. '콩나물 값이 비싸다' 면서 시장 아낙과 다투고는 면세점에 가서 값비싼 수입 핸드백과 구두를 사들이는 것이다.

부자들의 소비 잣대

부자들의 '소비 잣대' 는 세 가지로 정리된다.

첫째, 필요 없는 물건은 사지 않는다. 대개는 필요 없는 물건이다.

둘째, 필요한 물건이라면 싸게 산다. 한푼이라도 깎으려고 기를 쓴다.

셋째, 품위 있는 생활을 즐길 수 있는 값비싼 물건은 적절한 범위 안에서 구입한다. 부자생활에는 품위가 필요하다고 생각하는 경향이 있다.

이계열 씨는 "남들이 구하기 힘든 값비싼 물건을 살 때 돈 쓰는 재미가 쏠쏠하고, 이럴 때마다 내 자신이 넉넉하다는 생각이 들어 뿌듯하다"고 털어놓는다. 물론 모든 부자가 고급품 구매를 즐기는 것은 아니었다. 천수영 씨의 경우, "가족과 함께 백화점에 가본 적이 언제인지 기억도 나지 않는다"고 말한다.

"저도 고급시계를 차고 비싼 구두를 신고 싶지요. 그렇지만 내가 그렇게 쓰면 아내한테도 사줘야 하고 애들한테도 돈을 써야지요. 돈은 벌었어도 내 자신이 아직 그럴 수준은 아닌 것 같습니다. 나중에 더 많이 벌면 생각해 보죠."

부자들에게 "일부 부유층의 과소비에 대한 일반 시민들의 시각이 좋지 않다. 이에 대한 어떻게 생각하는가?"를 물었다.

71명이 '사회 분위기를 감안해 부유층도 소비를 자제해야 한다'고 응답했다. 수입 명품으로 머리끝에서 발끝까지 치장한 몇몇 사람들도 이런 의견을 내놓았다. 사무실을 외국산 고가품으로 호화롭게 치장해 놓은 사람까지 "과소비는 우리 경제에 해롭다"는 주장을 펴기도 했다. 자신의 소비는 과소비가 아니며 검소한 생활을 하고 있다는 투였다. 아이러니가 아닐 수 없다.

그러나 이는 부자들의 인식이 그렇기 때문으로 보인다. 대부분의 서민들처럼 부자들 역시, 자신보다 부유한 사람을 좇는 마음가짐을 갖고 있다. 더 잘 사는 사람만이 눈에 보인다. 그래서 스스로의 부에 만족하지 않는다. 사람의 심리가 대개 이런 모양이다. 이 때문에 서민들이 보기에는 호사스러운 생활이지만, 정작 본인들은 그렇게 느끼지 않는 것이다. TV 뉴스에 나오는 부유층의 과소비를 '다른 사람들 얘기'로 간주하는 듯했다.

부자 100명 중 13명이 '돈 많은 사람이 돈을 쓰는 것에는 문제가 없다. 정당한 소비다'라고 응답했다. 자신들은 그만한 능력이 있고, 그

범위에서 돈을 쓰므로 과소비가 아니라는 얘기다.

손길종 씨는 "부자들이 돈을 써야 경제가 돌아가는 것 아니냐"면서 불만을 나타냈다. 그는 "정부가 자꾸 부자들을 몰아붙이니까 부자들이 외국으로 나가게 되고 국내에서 돈을 쓰지 않는 것"이라며, "부자들이 국내에서 돈을 많이 써서 그 돈이 잘 굴러가도록 정책을 마련해야 한다"고 주장했다. 손씨 등은 "능력 없는 사람이 허풍을 떨며 돈을 쓰는 것이야말로 오리지널 과소비"라고 지적했다. 내 집 한 칸 없이 월세로 전전하면서 고급 승용차를 구입하는 사람들이 과소비의 주범이라는 것이었다.

실제로 우리 주변에는 월세도 못 내면서 중대형 승용차를 굴리는 사람들이 적지 않다. 이들 중 일부는 자동차 보험료도 내지 못한다. 돈이 좀 생겼다 싶으면 고급 음식점으로 외식을 하러 간다. 집주인에게 쫓겨나면 다른 월세 방을 찾아 전전한다. 집주인에게, 보험사 직원에게, 연체료를 독촉하는 신용카드회사나 이동통신회사 담당자에게 스트레스를 안겨주는 이들이야말로 과소비를 열심히 실천하는 사람이라는 것이 부자들의 항변이었다.

"부자들이 호화롭게 사니까 다른 사람들도 쫓아하는 것 아니냐"고 물었더니, "우리는 분수껏 살지, 호화 사치생활은 하지 않는다"고 단호하게 말했다.

"그러면 거실 바닥에 이탈리아산 수입 대리석을 깔고, 목욕탕에 순금 수도꼭지를 달면서 수천만 원씩 하는 모피 코트를 색깔별로 사는 사람들은 누구냐?"고 물었다.

"나는 아니다. 그럴 돈도 없고……. 어쨌든 귀족이 아니라서 그렇게는 못 산다. 친구들 중에서도 그런 사람은 없다. 호화생활을 보고 싶다면 돈을 거저 버는 사람들한테나 가봐라. 쉽게 번 사람이 쉽게 쓰는 법이다"라고 윤석구 씨는 말했다.

'자기 손으로 돈을 벌어 부를 쌓은 사람들은 호화생활과는 거리가 멀다'고 일제히 주장했다. 어렵게 돈을 모았는데, 약간의 여유는 부릴지언정 돈을 깔아놓고 살지는 않는다는 항변이다.

세금을 알면 부자 될 자격 있다

"세금도 원래는 내 돈이다.
내 돈 나가는 일에 무심해서야 되겠는가."
― 황윤석(전자부품 도매업) ―

부자인지 아닌지 스스로 체크해 보고 싶다면 작년에 세금을 얼마나 냈는지 생각해 보라. 그 금액을 기억한다면 이미 부자이거나 부자의 소질을 갖춘 것이다.

건물 임대업을 하는 서형준 씨가 "소득세를 얼마나 냈느냐"고 물었을 때 필자 역시 말문이 막혔다. 월급을 받기 전에 근로소득세가 원천징수되니, 도대체 얼마가 세금으로 빠져나갔는지 알 수 없었던 것이다. 서씨는 "월급쟁이들 거의가 그렇지 뭐." 하면서 딱하다는 듯 쳐다보았다. 그는 "자기 수중에서 돈이 빠져나가는 것도 모르면서 무슨 돈을 벌겠느냐"고 말했다.

마침 그는 경리담당 직원과 함께 종합소득세 자진납부 계산서를 정리하고 있었다. 종합소득세 신고는 매년 5월에 이루어진다. 부동산 임대소득과 이자, 배당, 사업소득, 근로소득 등을 각각 계산해 지난 한해 동안 벌어들인 돈을 항목별로 분류한다. 그 다음 거기에서 필요경비 등을 공제하는 방식으로 작성된다. 꽤 두툼한 서류뭉치다. 종합소득세는 소득자가 손수 작성해 신고하도록 되어 있다. 대개는 회계사나 세무사의 도움을 받는다.

종합소득세를 냈다면 당신도 부자

종합소득세 자진납부 계산서를 발부 받았다면 축하를 받을 일이다. 이제 부자의 길로 접어들었다는 반증이다. 종합소득세 계산서는 손수 일해서 벌어들인 근로소득 외의 다른 수입이 있는 사람들을 대상으로 발부된다.

직장에서 월급만을 받아 생활하는 샐러리맨은 이 서류를 구경할 수 없다. 임대나 사업소득이 없으니 당연하다. 몇 푼 되지 않는 은행이자는 이미 세금을 뗀 것이라서 종합소득세 대상이 아니다. 결국 부자생활은 종합소득세와 함께 시작된다. 세금이 부의 척도를 나타내는 바로미터인 셈이다.

종합소득세 계산서를 처음 받으면 기가 질린다고 한다. 난해하기 때문이다. 처음 보는 회계 세무 용어에 수많은 빈칸이 놓여 있으니, 어디부터 손을 대야 할지 막막하다는 것이다. 그러나 서형준 씨는 "모르면 배워서라도 볼 줄 아는 습관을 들여야 한다"고 강조한다.

"서류 양식에 다 나와 있어요. 여기 봐요. 총수입금액에서 필요경비를 빼면 사업소득금액이라고 친절하게 설명까지 되어 있잖아요. 들어

온 돈과 나간 돈을 계산해서 여기에 써넣으면 되는데 뭐가 어려워요."

서씨는 장부를 확인하면서 계산서 항목에 각각의 금액을 기입하고 있었다. 경리담당 직원이 옆에서 수치를 불러주는 모양이었다. 연필로 쓰고 있었다. 그렇게 한 다음에 회계사에게 보낸다고 한다. 기장대행 및 세무신고를 위임했다는 것이다. 회계사가 그 수치들을 다시 확인한 뒤 고칠 것은 수정해서 세무서에 보낸다고 한다. "그럼 회계사에게 전부 맡기면 되지, 왜 그걸 직접 하세요?"라고 물었다.

그는 "내가 돈을 벌었는데 남한테 맡기고 모른 체할 수는 없는 노릇"이라고 대답했다. 서씨는 "직접 작성을 해보면 과거 1년간 얼마나 열심히 일했는지를 돌아보게 되고 반성도 하게 된다"고 말했다.

세액을 산출하거나 감면 또는 공제 받을 부분에 대해선 전문 지식이 필요하기 때문에 회계사의 도움을 받고 있다. 담당 회계사 사무소도 이렇게 정리를 해서 보내주는 것을 좋아한다고 한다. 대개는 산더미 같은 영수증과 세금계산서를 회계사 사무소에 던져주고 '알아서 해달라'고 한단다.

부자들 대부분이 이처럼 자신의 소득과 세금을 손수 관리한다. 세무사나 회계사에게 맡기기는 하지만, 그것은 정밀한 확인을 거치기 위한 '최종 점검'의 차원에서다. 이렇게 다년간 세금 계산을 스스로 했기 때문인지, 부자들은 세금에 대해서는 거의 전문가 수준이다.

"엄밀하게 따져야지요. 내 돈 나가는 일인데 대충 넘어갈 수 있겠어요."

이준채 씨의 말이다.

부자들은 "종합소득세 계산서를 쓸 때마다 희비가 교차한다"고 말한다. 돈을 번 항목을 기입할 때는 기분이 좋다가도 세금 항목에 눈길이 닿을 때마다 가슴이 아프다는 것이다.

세금, 아낄 만큼 아낀다

100명의 부자에게 "귀하는 소득만큼 세금을 내고 있는가?"에 대해 물었다. 부자들 중 46명이 '벌어들인 만큼 꼬박꼬박 낸다' 고 응답했고, 51명이 '합법적인 범위 안에서 최대한 절세를 한다' 고 말했다. 1명은 '되도록 내지 않으려고 애를 쓴다' 고 답변했다. 2명은 '말하고 싶지 않다' 는 반응이었다. 거의 모든 사람이 세금을 잘 낸다고 답한 것이다. 다만 세금을 줄이기 위한 노력을 아끼지 않고 있었다.

하지만 부자들의 말을 액면 그대로 믿기가 어렵다. 실제로 큰 규모의 부동산 거래를 하는 몇몇 사람의 경우, 내야 할 만큼의 세금을 내지 않았다는 사실을 확인할 수 있었다. 상속세를 줄이는 방법도 가지가지다. 심지어 당첨된 복권을 사들여 세금을 줄이는 경우까지 있다고 들었다. 직접 확인하지는 못했다. 이는 당첨 복권에 상속세보다는 낮은 세율이 적용된다는 점을 이용한 것이다.

부자들에게 질병 다음으로 무서운 것이 '빚 보증 부탁' 이었고, 그 다음이 세금이었다. 없는 집 제사 돌아오듯, 세금 고지서가 자꾸 날아오는 통에 세금 내다가 1년이 후딱 간다는 것이 그들의 불만이었다.

법을 어기지 않고도 세금 부담을 줄일 수 있는 방법은 많이 있다. 국세청 홈페이지에 들어가면 다양한 절세 수단이 상세하게 나와 있다.

정부는 합법적인 범위의 절세를 적극적으로 권장하고 있다. 그것만으로도 상당한 금액을 아낄 수 있다. 하지만 탈세는 위험이 높다. 설혹 세무조사라도 받게 되면 심각한 양상으로 몰릴 수도 있다. 꼼꼼하게 따지기는 하되, 내야 할 세금은 반드시 내는 것이 좋겠다.

부자들과는 달리, 샐러리맨들은 세금에 어둡다. 지원 부서에서 모든 것을 처리해 주기 때문. 자신이 최종적으로 받은 금액(실수령액) 외에는 신경을 쓰지 않는 경향이 많다. 당국이 세금 부담을 줄여주겠다는데도 제 밥그릇을 챙기지 못하는 사람도 종종 있다. 금융상품을 잘 고르고 영수증을 챙기는 노력만으로 각종 공제혜택을 받을 수 있다. 이것만 잘해도 꽤 많은 금액을 아끼게 된다.

부자들, 세대 따라 패션 다양

"옛날에 돈을 번 사람들은 우리에게 돈 귀한 줄 모른다고 한다.
우리도 자식들에게 그렇게 말할 것이다."
— 석지영(회사원) —

처음 부자들을 만날 때는 눈여겨보지 않았던 부분이었는데, 차츰 그들의 세계를 알게 되면서 유심히 확인한 것이 있다. 물론 사소한 것일 수도 있다. 바로 그들이 차고 있는 손목시계다. 천차만별이었다. 시중에 나도는 몇 천 원짜리 기념품 시계부터 수백만 원을 호가하는 고급시계에 이르기까지 온갖 다양한 시계들을 그들은 팔목에 차고 있었다.

주목할 만한 것은 머리가 희끗희끗한 중년층 부자들과 비교적 젊은 부자들의 시계가 달랐고, 이런 차이가 어느 정도 패턴을 형성하고 있다는 점이다.

나이가 지긋한 부자들은 둘 중의 하나였다. 롤렉스(Rolex)가 아니면 싸구려 시계였다. 치장에 신경을 쓰는 사람의 경우, 예외 없이 롤렉스 금딱지를 차고 있었다.

"한참 돈을 벌기 시작했을 때, 이것 차보는 것이 소원이었지요. 나중에 돈 많이 벌면 사겠다고 미루다가 벼르고 별러서 샀습니다. 폼 나잖아요. 역시 시계는 롤렉스지요."

설종관 씨의 말이다. 묵직한 시계를 풀어 보이며 자랑을 한다.

"시계야 시간만 맞으면 되지, 팔목에 비싼 것 두른다고 좋은 일이 있나? 잃어버리기라도 하면 아깝기만 하지."

박일문 씨는 김영삼 대통령 시절, 시중에 뿌려졌던 이른바 '영삼 시계'를 차고 있었다. 물론 이도 저도 아닌 시계를 가진 노년층 부자도 눈에 띄었다. 고급시계 축에는 들지만 롤렉스 금딱지 수준은 아니었다. 이런 부자들의 공통점은 그런 시계를 20년 이상 사용해 왔다는 것이다.

롤렉스와 카르티에

30~40대 부자들은 양상이 달랐다. 롤렉스 같은 전통적인 고급시계보다는 요즘 유행한다는 스포츠 시계 또는 패션 시계를 차고 있었다. 요즘 사람들이 선호하는 브랜드는 카르티에(Cartier)인 모양이었다. 프랑스의 유명 잡화 브랜드로, 시계는 스위스에서 생산된다. 의사나 변호사 같은 전문 직업군에서 카르티에를 찬 사람을 흔히 발견할 수 있었다.

"롤렉스는 거추장스럽죠. 그리고 너무 티가 나잖아요. 결혼 예물로 롤렉스를 받은 친구들이 꽤 있는데, 집에 두고 다니더군요. 간편하고 활동성 있는 시계가 좋지요. 품위도 있고요."

의사 김수홍 씨는 카르티에 마니아 같았다. 시계는 물론 라이터와 열쇠고리까지 카르티에 제품을 사용하고 있었다.

그러나 명품에 밝은 이치형 씨는 "롤렉스를 구태의연하게 생각하는 사람들도 있지만, 그렇지 않은 사람도 많다"고 말한다. 이씨는 백금으로 만들어진 스포츠형 롤렉스(오이스터 시리즈)를 갖고 있었다. "카르티에나 샤넬도 가지고 있지만, 정장을 입을 때는 그래도 롤렉스가 좋죠."

고급시계를 차고 있는 사람들만 놓고 비교한 결과, 대략 45세를 전후로 특성이 나눠진다는 점을 발견할 수 있었다. 45세 이상의 부자들은 롤렉스처럼 전통적인 고급시계를 선호하는 경향이 뚜렷했고, 45세 미만의 부자들은 '티가 많이 나지 않는' 고급시계를 손목에 차고 있었다. 특히 일부 젊은 부자들은 여러 개의 고급시계를 장만해 놓고, 분위기에 따라 바꿔 차면서 자기 스타일을 연출하는 경우도 있었다.

중년층 기성세대 부자들이 금시계로 성공을 과시(?)하는 것과는 달리, 젊은 세대는 크게 드러내지 않으면서도 '알 만한 사람은 아는' 브랜드 위주로 몸치장을 하는 셈이다. 보메 메르시에나 코룸, 불가리, 지오모나코 등 처음 들어보는 브랜드가 많았는데, 이는 젊은 부자들은 티가 나지 않는 명품을 즐긴다는 얘기다.

의사 김수홍 씨는 "아내가 명품을 좋아하는데, 요즘에는 웬만한 여성들이 몇 개씩 명품을 가지고 있어서 그런지 몰라도 남들이 흔히 구하기 힘든 것들을 주로 사 모으는 것 같다"고 말한다. 이처럼 젊은 세대 부자들은 '남과 다른 나'를 보여줄 수 있는 명품에 상당한 애착을 갖는 듯했다.

김수홍 씨는 겐조 양복에 에르메스 넥타이, 아르마니 머플러, 발리 구두 등 값비싼 브랜드로 몸 전체를 휘감고 있었다(필자는 이런 브랜드가 명품이라는 것을 취재 과정에서 알게 되었다). 매년 초 부인과 함께 바겐세일 시즌에 맞춰 홍콩에 간다고 한다.

특이한 것은 몇몇 젊은 부자들이 영하의 날씨에도 코트를 걸치지 않는다는 점이었다. 양복에 머플러를 두른 차림이 많았다. 걸어다닐 일이 별로 없는 것이다. 이에 비해 중년층 부자들은 최신 유행의 명품 등에는 별다른 반응을 보이지 않았다. 남성의 경우 시계, 여성의 경우 시계와 반지, 목걸이 등을 제외하고는 돈을 쓰는 것이 아깝다는 생각을 하고 있었다. 최소한의 치장에만 돈을 쓰겠다는 생각인 것 같았다.

중년과 젊은 부자들의 차이점은 자동차에서도 나타났다. 젊은 부자들은 고급 대형차보다는 적당한 크기의 날렵한 스타일을 선호하는 경향이 뚜렷했다. 비교적 젊은 나이인 만큼 활동성을 추구하는 성향이었다.

50대 이상의 부자들이 벤츠, 에쿠스, 체어맨, 볼보 같은 중대형 차량을 보유하고 있는 반면, 젊은 세대는 그랜저XG, SM525, BMW(주로 300 시리즈) 또는 렉스턴이나 쏘렌토 등의 RV 차량을 굴리고 있었다.

이준수 씨는 "날렵한 차를 좋아하기도 하지만, 젊은 나이에 대형차를 굴리면 사람들이 못마땅해할 것 같아서 엄두를 내지 못하고 있다"고 설명한다. 예나 지금이나 남의 눈치를 봐야 하는 사회라는 것이다.

조사 대상자 100명 중 89명이 2대 이상의 자동차를 보유하고 있었다.

또 50대 이상 조사 대상자 가운데 절반 가량이 운전기사를 두고 있는 것으로 나타났다. 그러나 50대 이하 사람들 가운데서는 회사가 고용한 운전기사를 둔 경영자 4명을 제외하고는 손수 운전을 하고 있었다.

쩨쩨함을 생활화하라

"나에게는 10만 원도 큰돈이다.
세상에 적은 돈이라는 건 없다."
— 조주명(의류업체 운영) —

　부자들에게 이자수입은 소득원 순위 3위 또는 4위에 그쳤다. 이들이
은행권에 많은 돈을 넣어두지 않기 때문이기도 하고, 다른 소득(임대
료 및 사업소득 등)이 많기 때문이기도 하다.

　특이한 것은 부자들이 이자율에 상당히 민감하다는 대목이었다.
0.01%라도 높은 이자를 주는 곳을 택하는 경향이 뚜렷했다. '부자가
쩨쩨하게 그까짓 이자 몇 푼 가지고 전전긍긍하느냐'고 생각할 수도
있다. 하지만 부자들의 사정은 다르다. 이들은 부자가 되기 훨씬 전부
터 높은 이자를 따라 금융상품을 갈아타는 것을 습관화해 왔다.

　한의사 채종훈 씨는 "짧은 기간 맡겨도 수익률이 비교적 높은 MMF*
나 MMDA**에 현금을 넣어두고 있다가 괜찮은 금융상품이 나오면 옮
기고 있다"고 이야기한다.

　그는 "가끔씩 은행들이 한정 상품을 판매하는데 이 중에는 수익률이

높은 상품이 꽤 있고, 종금사가 취급하는 기업어음***도 괜찮은 투자 대상"이라며, "항상 이런 것들을 눈여겨본다"고 말한다. 채종훈 씨는 자신 소유의 빌딩 1층에서 한의원을 운영하고 있다.

채씨는 약재상에 온라인으로 송금을 한다. 수수료가 붙지 않는 같은 은행간 계좌이체를 이용한다. 만일 약재상의 주거래 은행이 다른 곳이라면 미리 돈을 찾아두었다가 약재상이 찾아올 때 현금으로 내준다. 수표 발행 수수료도 아깝다는 것.

MMF나 MMDA 등의 금융상품은 일반인들에게 아직 낯설다. 지난 1990년대 후반에 국내에 상륙해 역사가 길지 않은 데다 소액투자(예금) 대상이 아니기 때문이다. 그러나 어느 정도 목돈을 모은 뒤에는 관심을 가질 필요가 있다.

한푼 아끼기 위해 인터넷을 배운다

부자들의 철저함은 증권사 이용 양상에서도 나타난다. 한 증권사 지점장은 "돈이 많은 고객은 거의가 온라인 거래를 이용하고 있다"고 말한다. 지점에 나와서 하루 종일 시세판을 보고 있는 사람은 십중팔구 '쌈짓돈 투자자'라는 것이 그의 분석이다. 남편 몰래 적금을 깬 주부부터 퇴직금을 턴 중년층까지 안절부절못하는 사람들이 객장에 나와 시간을 보낸다는 얘기다.

온라인 거래는 지점 직원을 거쳐 주문을 내는 것에 비해 수수료가 싸다. 증권사들은 점포의 효율성을 높이기 위해 고객들에게 온라인 거래를 이용하도록 권장하고 있다. 투자자들이 지점에 나오지 않고 집에서 컴퓨터를 통해 거래한다면, 지점의 직원들을 줄일 수 있어 비용감축 효과가 높다는 발상에서다. 그래서 온라인 거래 수수료를 낮추어 고객들을 이곳으로 유도하고 있다.

거래 금액과 증권사에 따라 천차만별이지만, 온라인 거래 수수료가 0.15~0.1%인 반면 지점을 통한 수수료는 0.4~0.5% 수준이다. 언뜻 보면 대단한 차이가 없어 보인다. 성격이 화끈한 샐러리맨이라면 "영점 몇 퍼센트면 거기서 거기 아냐"라고 말할 수도 있다.

하지만 부자들의 생각은 다르다. 굴리는 돈의 액수가 크기 때문에 0.01%라도 그 차이가 상당하다는 것이다. 더구나 지점 거래 수수료 0.4~0.5%에 증권거래세 0.5%(코스닥시장의 경우 0.3%)를 합하면 1%에 육박하는 거액이라는 주장이다.

박일문 씨는 "1억 원 거래할 때 세금과 수수료를 합쳐 100만 원이라면 아깝지 않느냐"고 반문한다. 박씨는 "지점에 하루 종일 붙어 있는 개인 투자자들이야말로 증권사의 이익을 위해 봉사하는 고마운 사람들"이라면서 웃는다. 증권사 영업사원이나 투자상담사들은 이들에게서 최대한 많은 수수료를 얻어내기 위해 회전율을 높이고, 결국에는 증권사만 돈을 벌게 된다는 것이다.

박씨는 올해 나이가 69세이다. 사이버 거래를 한 지는 얼마 되지 않았다고 한다. 처음에는 객장에 나와 지점장의 컴퓨터로 매매를 했는데, 그것도 귀찮아서 직원 한 명을 붙들고 배웠다며 자랑을 했다.

40대 이상의 장년층이 인터넷에 익숙해지는 것은 그리 쉬운 일이 아니다. 하지만 이들은 특유의 '쩨쩨함'을 유감 없이 발휘하기 위해 인터넷을 익히는 수고를 아끼지 않았고, 온라인 거래를 통해 비용을 절감하고 있었다.

'나는 아직 부자가 아니니까, 0.01%는 별 것 아니다'라고 생각할 수도 있다. 하지만 이런 생각에 머문다면 앞으로 5,000만 원이나 1억 원을 모아도 마찬가지다. 부자들은 단돈 500만 원을 가졌을 때도 조금이나마 높은 수익을 내기 위해 눈에 불을 켰다. 그런 노력이 몸에 배어있어야 부자로서의 습관이 형성된다. 돈을 버는 것은 습관이다. 쩨쩨한 것을 창피하게 생각하면 부자가 되기 어렵다.

**Note

*MMF : 금융기관이 고객의 돈을 모아 금리가 비교적 높은 기업어음이나 콜 등의 단기 금융상품에 집중 투자해 여기서 얻는 수익을 되돌려 주는 실적배당 상품. 단기 금리가 장기 금리보다 높거나 투자기간이 6개월 이하일 때 유리한 단기형 상품이다. 증시가 침체되고 부동산시장에 별다른 변화 조짐이 없을 때면 마땅한 투자처를 찾지 못한 시중 뭉칫돈들이 MMF로 몰려드는 경우가 많다.

**MMDA : 수시 입출금식 예금(Money Market Deposit Account). 고금리 저축성 예금의 일종으로, MMF같은 실적배당형 상품처럼 시장 변동 금리를 지급하면서도 인출 및 이체가 자유로운 장점이 있다.

***기업어음 : 보통 CP라는 약자로 불리기도 한다. Commercial Paper. 기업이 단기 자금을 조달할 목적으로 발행한 약속 어음이다. 종금사와 증권회사는 기업이 발행한 어음을 그 금액보다 싸게 넘겨 받고(할인율 적용) 이를 일반인에 다시 매각한다. 취급 금융기관이 지급을 보증한 어음을 담보부 기업어음이라고 하며, 보증 없는 어음을 무담보 기업어음이라고 한다.

주변 사람이 가장 두렵다

"나도 베풀면서 살고 싶다.
문제는 베풀 곳이 너무 많다는 것이다."
— 민형기(주류 유통업)—

조대경 씨 집에는 독특한 가훈이 있다. '절대로 남의 빚 보증 서지 말라'는 것이다. "농담하지 마시라"고 했더니 정색을 한다. 정말로 가훈이라는 것이다. 선친의 유언이었으며 아이들에게도 떳떳하게 전해준다고 했다. 웃음을 참느라 허벅지를 꼬집어야 했다.

'빚 보증 서지 말라'가 가훈

기능직 공무원 출신인 그는 '이사'로 돈을 번 사람이다. 그를 소개해준 은행 담당자와 함께 그의 집을 찾아갔을 때, 다른 부잣집과는 다른 구석이 느껴졌다. 뭐가 다른지 한참을 생각한 뒤에야 그 차이를 알 수 있었다. 서울 강남의 60평 규모 아파트였는데, 살림이 거의 없었다. 그 흔한 소파 하나 없어 거실 바닥에 앉았다. 그의 부인이 내온 찻잔도 제각각이었다. 짝이 맞지 않는 것.

넓은 거실에 놓인 것이라곤 낡은 25인치 TV와 화분 두어 개가 고작이었다. 조씨는 둘러보는 눈초리를 짐작했는지 "세간살이를 늘리지 않는 게 내 스타일"이라고 말한다. 심지어 안방에 화장대도 없다고 자랑(?)을 했다. 조그만 장롱과 책상, 침대 정도가 살림의 전부라고 한다.

옛날에는 살림이 좀 있었지만, 이사를 다니기 거추장스러워서 대폭 줄였다는 것이 조씨의 설명이다. 50대 중반인 그는 23세에 결혼해 지금까지 17번 이사를 다녔다고 털어놓았다. 그가 많은 돈을 모은 비결이 바로 이사였다. 아파트 여러 채와 상가를 가지고 있으면서도 끊임없이 이사를 다닌다. 집 값이 오르면 처분해 다른 곳으로 옮겨가며 또 한 채를 장만하는 식이다. 이사에 이골이 난 모양이다. "이 일대 아파트 값이 많이 올랐어요. 이제 뜰 때가 됐습니다."

조대경 씨가 '빚 보증 서지 말라'를 가훈으로 정한 것은 4년 전이었다. 사업을 하던 죽마고우가 "은행돈을 석 달만 쓰겠다"고 하기에 보증을 서주었는데 사단이 나고야 말았다. 보름 만에 그 친구는 부도를 내고 잠적했다. 조씨는 친구의 행방을 수소문했으나 찾을 수가 없었다. 결국 조씨는 아파트 두 채를 팔아 그 빚을 대신 갚는 수밖에 없었다. 그리고 1년 뒤 그 친구가 미국 LA에서 새로운 사업을 하고 있다는 사실을 전해 듣게 되었다. 그는 친구에 대한 배신감에 치를 떨었다고 한다. 조씨에게 부담을 지운 채 자신의 재산을 빼돌려 미국으로 달아난 셈이었다. 조씨는 사생결단을 내겠다는 각오로 미국에 건너갔으나 용서해 달라며 눈물을 흘리는 친구의 모습을 보자 마음이 약해져 그냥 돌아오고

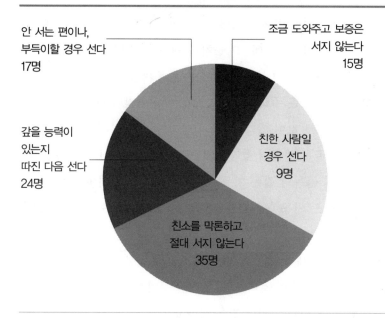

빚 보증을 서는 편인가

안 서는 편이나,
부득이할 경우 선다
17명

조금 도와주고 보증은
서지 않는다
15명

갚을 능력이
있는지
따진 다음 선다
24명

친한 사람일
경우 선다
9명

친소를 막론하고
절대 서지 않는다
35명

말았다.

　그가 남의 보증을 섰다가 손해를 당한 것이 처음은 아니었다. 10년 전에도 조카의 취업에 보증인이 되었다가 조카가 회사 공금을 횡령하고 달아나는 바람에 고초를 겪은 일이 있었다. 당시에는 그의 4형제가 사고 금액을 분담해 사고를 매듭지었다.

　조대경 씨는 친구에게 당한 일을 계기로 '내가 두 번 다시 빚 보증을 서면 성을 갈겠다'는 각오를 했다고 한다. 선친의 유언을 뒤늦게 깨달은 형국이다. 사연을 듣고 나니, '빚 보증 서지 말라'는 가훈이 그리 우스운 것만은 아니었다.

조씨가 '이사'에서 성공의 기회를 잡은 것은 29세 때 처음으로 장만한 집이 효자 노릇을 하면서부터다. 은행대출을 끼고 산 집은 서울 변두리의 조그만 주택이었는데, 그 근처가 재개발되면서 1년 만에 값이 훌쩍 올랐다. 부동산 투기 붐도 집 값 상승을 부채질했다.

그는 집을 팔아 더 큰 주택을 샀다. 그 집은 차가 많이 다니는 도로 앞에 있어 상대적으로 값이 쌌다. 지금과 달리 당시는 복잡한 길가에 있는 주택보다는 골목 안쪽에 호젓하게 자리잡은 집이 더 비쌌다고 한다. 지금 같으면 골목의 집은 자동차를 주차하기 어렵기 때문에 불편한데, 당시만 해도 자동차를 소유한 사람이 많지 않았으니 그럴 법도 하다.

2층과 지하에 월세를 놓고 살던 어느 날, 부동산업자가 찾아왔다. "높게 쳐줄 테니 팔라"는 것이었다. 조씨가 구입했을 때보다 50%나 오른 가격이었다. 사려는 사람은 집을 허물고 4층으로 다시 짓겠다고 했다. 이른바 '다가구주택 붐'이 일기 시작했던 것이다.

순간 '내가 그런 집을 지어 팔거나 세를 놓으면 돈이 되겠구나.' 하는 생각이 조대경 씨의 머리를 스치고 지나갔다. 하지만 하급 공무원 신분인 그로서는 자금력도 충분치 않았고, 주택 건설에 대한 노하우도 별로 없어 위험천만이라는 판단이 섰다. 그렇다고 해서 다른 방법이 없는 것은 아니었다. 그때부터 터는 넓지만 지은 지 오래된 주택을 찾아 이사를 다니기 시작했다.

사람은 믿을 수 있지만 돈은 믿지 못한다

조대경 씨는 절대로 남의 빚 보증을 서지 않는 이유로 "사람은 믿을 수 있지만, 돈은 믿을 수 없다"고 말한다. 처음부터 돈을 떼어먹을 각오를 하고 주변 사람에게 보증을 부탁하는 경우는 없다는 것. 그러나 어쩔 수 없는 지경에 몰리게 되면 남에게 고통을 떠넘기게 된다는 것이 조씨의 해석이다.

그래서 조씨는 "친한 사람의 빚 보증이 가장 무섭다"고 주장한다. 돈을 잃는 것은 물론 우정마저 훼손당하기 십상이다. 친한 사람과의 금전 거래를 삼가야 하는 것도 마찬가지 이유에서다.

조대경 씨뿐만이 아니다. 자수성가한 부자 100명 중에서 35명은 '빚 보증을 서는 편인가'라는 질문에 '친소를 막론하고 절대 서지 않는다'고 응답했다. 24명은 '갚을 능력이 있는지 따져본 다음에 생각한다'고 대답했으며, 15명은 '개인적으로 조금 도와주고 보증은 서지 않는다'고 답했다. 74명이 빚 보증에 대해 부정적으로 생각하고 있는 것이다. '보증을 안 서는 편이지만, 부득이한 경우 선다'고 응답한 사람이 17명이었다. 이 응답까지 부정적인 쪽에 포함시킨다면 91명이다. '친한 사람일 경우 보증을 선다'고 대답한 사람은 9명이었다.

우리 속담에 '곳간에서 인심 난다'는 말이 있다. 여유가 있어야 남을 도울 수 있다는 뜻이다. 속담이 현실에서도 맞아떨어지는 모양이다. 빚 보증은 안 되지만 부담 없는 범위의 금전적인 도움은 줄 수 있다는 반응이 많았다.

'친척이나 친구가 물건을 팔아달라고 찾아오면 대부분 사준다'는 반응이 그것이다. 100명 가운데 81명이 '과한 것이 아니라면 판매에 응한다'고 답변했다.

반면 사주지 않는다는 11명 가운데 특이한 대답이 나왔다. "차라리 모르는 사람이거나 사회 자선단체라면 기부를 하겠지만 친인척은 거저 돕지 않는다"는 것이었다. 액면 그대로 보면 매우 몰인정한 태도다. 일부 사람은 "어려운 친인척에게 금전적인 지원을 해주는 것이 궁극적인 도움이 안 된다"는 입장을 내비쳤다. 김대영 씨는 "친인척이 가장 돕기 어려운 상대"라고 말한다. 자꾸 도와주다 보면 그 도움을 당연한 것으로 여기게 되고 마침내는 자생력을 잃는다는 것.

"정수기 팔고 책 팔고, 그 다음에는 또 무엇을 팔러 나타나겠어요. 그게 그 사람에게 얼마나 도움이 될까요. 자기 사업이라면 모르지만……. 단순하게 이것저것 임시방편으로 파는 것은 그 사람에게도 희망이 없는 거죠."

김대영 씨는 그런 친척이 방문할 때마다 "차라리 내 사무실에 나와 일을 하든가 건물 수위라도 하라"고 권한다. 그러나 그 말을 따르는 사람은 지금까지 없었다고 한다. 또한 김씨는 "돈 거래 관계의 경우, 가까운 사람일수록 서로 조심해야 한다"고 말한다. 한 번 돕지 않아서 원망을 살 수는 있겠지만, 돕다가 같이 망해 불구대천의 원수가 되는 것보다는 낫다는 것이다.

부자인 친구나 친척들에게 '내 위험을 나눠달라'고 요청하는 것은 잘못된 계산일 가능성이 높다. 부자들은 자신의 위험을 적절하게 관리해 부를 이룬 사람들이다. 이런 사람들이 남의 위험을 나눠지려고 하지 않는 것은 지극히 당연하다. 따라서 서로에게 이득이 되는 조건을 걸지 않는 한, 좀처럼 설득에 넘어가지 않는다. 또한 이들에게 친분을 빙자해 물건을 구입하도록 하는 행위 역시 무의미하다. 서로의 관계 때문에 쓸모 없는 물건을 구입하는 것은 상대방에게 '공짜 소득'을 안겨주는 일이다. 부자들은 자신의 구매행위로 인해 누군가가 거저 돈 버는 것을 못마땅해하는 부류다.

부자들을 대상으로 사업이나 협상을 진행하려 할 때 철저한 분석과 인식이 필요한 것도 이 같은 이유에서다. 부자들에게는 친척과 친구가 가장 두려운 대상이다.

사채업자가 말하는 분수

"누구에게나 인생은 유한하다.
돈은 그 약속된 시간을 값지게 쓸 수 있도록 해준다."
– 심종수(대형 골프 연습장 운영) –

사채업을 하는 노창윤 씨를 만난 것은 서울 강남, 그의 집 근처 카페에서였다. 도통 만나주지 않으려는 것을, 그와 친한 은행 지점장이 사정 반 강요 반 해서 약속을 잡았다. 대개 '사채업자' 하면 무서운 이미지가 떠오른다. 돈을 갚지 않는 사람에게 해결사를 보내 협박을 하는 이미지 말이다.

그러나 예상 외로 노씨는 선량한 얼굴이었다. 인심 후한 동네 과일가게 아저씨 같은 인상이었다. 노씨는 눈치를 챈 듯, "무서워할 필요 없다. 사채업자는 범법자가 아니다"라고 말했다.

사채업자들은 '귀신'이다. 최상의 더듬이를 가지고 있다. 대한민국 자본시장에서 정보가 가장 빠르게 유통되는 곳 가운데 하나가 명동의 사채시장이다. 기업 어음을 주로 융통하는 사채업자들은 매일 정보와의 전쟁을 치르고 있다. 정보에 늦으면 돈을 잃는다. 일부 큰손들은 대기업이나 증권시장 전문가보다 더 빨리 흐름을 간파한다.

특정 기업의 자금 흐름에 이상이 생길 경우 사채업자들이 가장 먼저 알아차린다. 그 다음이 제도 금융권이다. 사채업자들이 가지고 있던 회사채를 쏟아내거나 인수를 거부한다면, 해당 기업에 문제가 생긴 것이라고 보면 100% 정확하다.

물론 일부 사채업자는 기업들의 주가조작에 관여하는 등 외줄 타기를 하다가 말썽을 일으키기도 한다. 그래도 사채시장이 제도권 금융의 빈틈을 채워주는 역할을 나름대로 하고 있다는 사실까지 모두 부인할 수는 없다. 은행권이나 저축은행 등에서 돈을 조달하지 못하는 기업들이 마지막으로 찾는 곳이 사채시장이다.

얼치기 부자가 더 쓴다

이야기를 나누다가 느닷없이 던진 말에 노씨가 정색을 했다. "좋은 동네에 사시네요. 여기는 부자들만 사는 동네 아닙니까?"라고 운을 뗐더니, "부자 동네는 무슨 부자 동네…. 아파트 값만 다락같이 높은 동네지"라고 응수했다.

의외의 대답이었다. 그 지역은 최근 가장 각광 받는 동네로 꼽히고 있는 곳이다. 30~40대 주부를 대상으로 조사한다면 틀림없이 '선망 거주지역 1위'로 꼽힐 만한 곳이다. 중대형 아파트 밀집 지역으로 교통이 편하고 학군이 좋아 전국의 부자들이 몰려든다는 신문 보도를 본 적이 있었다.

노씨가 파악한 바에 따르면 그가 사는 아파트 거주자 가운데 40% 가량이 월급쟁이라고 한다. 물론 평범한 샐러리맨이 아니라, 소득이 높은 대기업 임원 이상이다. 기업체 사장도 꽤 있는데 이들 또한 월급으로 사는 사람들이다. 또 30%는 의사나 변호사 같은 전문직 종사자들이라는 것이 노씨의 분석이다. 노씨는 그런 사람들의 경우, 비싼 집에 산다고 해서 흠을 잡을 수 없다고 말했다.

다만 10%가 문제라는 것. 그런 축에 끼지 못하는데 무리를 해서 비싼 아파트에 사는 '간이 부은 사람들'이 있다는 얘기였다. 그의 통계가 정확하지는 않을 것이다. 하지만 10년 넘게 그곳에 살면서 느껴온 것이니, 전혀 근거가 없다고 볼 수는 없겠다.

노창윤 씨는 '진짜 부자'보다 '얼치기 부자'들의 씀씀이가 더욱 크다고 귀띔을 한다. 진짜 부자들은 자기 스타일대로 사는데, 얼치기 부자들은 소비에 출혈 경쟁을 일삼는다는 것이다.

"돈도 많이 벌었는데 진짜 부자 동네라는 데로 옮기시죠. 왜 50평대 아파트에서 사세요?"라고 물었더니, "내 분수에는 그게 맞다"고 대답했다. 집이 커봐야 아내가 청소하기만 힘들고, 그렇게 넓은 집에 살아야 할 이유가 없단다. 노씨의 집은 파출부를 쓰지 않는다. 그 아파트 단지에서 파출부 없는 유일한 집일 것이라고 한다. 별다른 이유는 없고 아내가 건강하기 때문이라고 설명한다.

노씨는 "○○동 단독주택으로 이사를 가려다가 포기했다"고 말했다. ○○동은 서울 강북의 유서 깊은 부자 동네다. 그 동네의 집을 보러 다니다가 부동산업자의 얘기를 듣고 포기했다고 한다. 돈을 많이 번 연예인이 이사를 오려고 했는데, 그 주변 거주자들이 담합을 해서 막

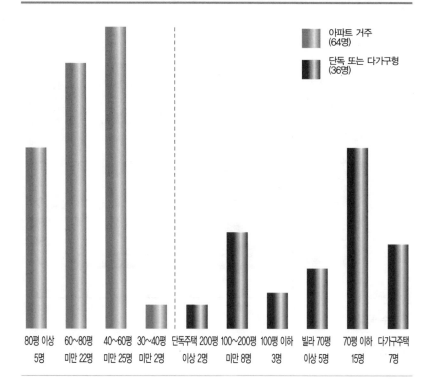

아파트 거주 (64명)		단독 또는 다가구형 (36명)	

80평 이상 5명 / 60~80평 미만 22명 / 40~60평 미만 25명 / 30~40평 미만 2명 / 단독주택 200평 이상 2명 / 100~200평 미만 8명 / 100평 이하 3명 / 빌라 70평 이상 5명 / 70평 이하 15명 / 다가구주택 7명

았다는 것이다. 그것도 모자라 각자 돈을 내서 그 집을 사버렸다는 것. 노씨는 "연예인도 그런 취급을 받는데 나 같은 사채업자를 반길 리 있겠어"라며 한숨을 쉬었다.

부자들은 분수 넘치는 생활을 증오한다

100명의 부자 가운데 64명이 아파트 거주자였다. 나머지 36명은 단

부자들의 취미는

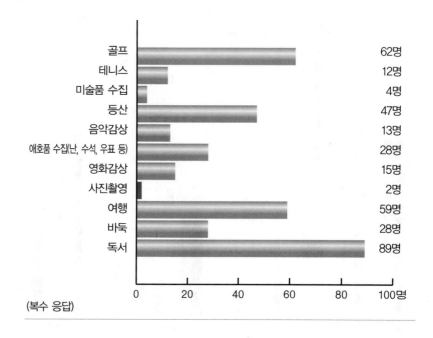

골프	62명
테니스	12명
미술품 수집	4명
등산	47명
음악감상	13명
애호품 수집(난, 수석, 우표 등)	28명
영화감상	15명
사진촬영	2명
여행	59명
바둑	28명
독서	89명

(복수 응답)

독주택 또는 다가구, 다세대주택(빌라 포함)에서 살고 있었다. 흥미로운 것은 아파트 거주자 64명 중에서 60평 이상의 대형 아파트에 거주하는 사람은 37명에 불과했다는 것이다. 25명이 40~50평대의 아파트에 살고 있었다. 이들은 그 정도 평수가 자신들의 분수에 맞다고 이야기 했다.

이래서 '부자들은 거실이 축구장만한 아파트에서 산다'는 추측은 빗나갔다. 나머지 2명의 부자들은 놀랍게도 30평대 아파트에 거주하고 있었다. 그 중 한 명은 100억 원대 재산가다. 부자들은 자신이 사는 집에 대해 "별로 중요하지 않다"고 대답했다. 누추하지 않을 정도면 살 만하다는 것이다. 7명은 다가구주택에 살고 있었다.

집이 있고, 어느 정도 목돈이 있더라도 섣불리 부자 동네로 이사 갈 생각은 하지 않는 것이 좋다. 지금 살고 있는 아파트를 팔아봐야 부자 동네에서는 같은 평수의 전세를 얻기도 힘들지만, 이따금씩 그런 유혹에 빠질 때가 있다. 그럴 때마다 단호하게 마음을 고쳐먹는 것이 좋다.

부자 동네 아파트 값이 앞으로 더 뛸 것이므로, 투자수익을 바랄 수는 있다. 하지만 부자 동네에 가면 얻는 것보다 잃는 것이 많다. 가장 먼저 잃는 것이 아내이고, 그 다음은 아이들이다. 뼈 빠지게 일해 월급을 타오는 동안 가족들의 간이 붓는다. 마지막으로 돈을 잃는다. 부자 동네의 높은 물가와 높은 생활 수준을 따라가다가 어느새 빈털터리가 된 통장을 발견할 가능성이 높다.

생활 수준을 맞추기 위해 가장 먼저 자동차를 바꿔야 한다. 아이가 기죽지 않도록 학원도 보내야 하고, 방학 때는 해외 어학연수라도 보내주어야 한다. 그러다가 조기유학으로 발전한다. 조기유학은 기러기 아빠를 낳는다. 출발은 가족을 위한다는 명분이지만 결과는 보장할 수 없다. 샐러리맨 기러기 아빠가 돈을 모아 부자가 됐다는 얘기를 듣는 일은 지금도 없지만 앞으로도 거의 없을 것이다.

부자들은 분수에 넘치는 생활을 증오한다. 분수 넘치는 생활을 피하지 않는다면 부자의 길은 더욱 멀어진다.

되는 집안은
뭔가 다르다

[부자의 가정관리]

부자의 첫걸음은 결혼

"맞벌이가 아니더라도 돈은 둘이 버는 것이다.
살림 잘 하는 여자를 만나는 것은 가장 큰 복이다."
— 이순애(주부) —

누구나 부자가 될 수 있는 방법을 생각해 본 적이 있을 것이다. 가장 간단한 것은 상속이다. 하지만 이것은 부잣집에서 태어난 사람에게만 해당되는 경우다. 부모가 수십억 또는 수백억의 재산을 보유하고 있다면 이 가운데 일부만 물려받아도 평생 먹고사는 데는 지장이 없다. 그러나 우리들 가운데 이런 사람은 극히 드물다. 부자의 수는 그렇지 않은 사람에 비해 극히 적다. 게다가 안타깝게도 부잣집에서 태어날 선택권이 우리에게는 없다.

다음은 복권에 당첨되는 것이다. 이따금 수십억 원 당첨자가 나왔다는 신문기사가 나오곤 한다. 이런 대박을 터뜨려 평생 잘 살 수 있는지 확인된 바는 없지만, 아무튼 큰돈을 만질 수 있는 길이다. 그러나 대박이 터질 확률이 얼마나 될까. 수백만 분의 1도 되지 않을 것이다.

이 같은 두 가지 가능성은 '하늘이 선택한 경우'다. 결국 스스로 노력해서 부자가 되는 것이 그나마 확률이 높은 게임이 되겠다.

이처럼 스스로 노력하는 데 변수로 작용하는 요인이 하나 있다. 그것은 결혼이다. 부자들은 '배우자'에게 비밀이 있다고 지적했다. 어떤 배우자를 만나느냐에 따라 부자로서의 일생 여부가 좌우된다는 의미다. 특이한 사례를 제외하고, 결혼생활의 성공은 부자로 향하는 첫걸음이다.

배우자 잘 만나는 것이 돈 모으는 출발점

물려받을 재산이 없는 평범한 사람들은 어떻게 부자 인생을 시작할 수 있었을까? 부자들은 "배우자를 잘 만난 것이 돈을 모으는 출발점이었다"고 털어놓았다.

89명이 배우자의 경제적 기여도에 대해 '50% 이상'이라며 높이 평가했다. 11명 가운데 4명은 '그저 그렇다'고 응답했고, 5명은 '별로 기여한 바는 없지만 방해한 적도 없다'고 말했다. 나머지 2명 중 1명은 오래전에 배우자와 사별했고, 다른 1명은 이혼했다.

배우자의 경제적 기여도를 70%로 평가한 정연묵 씨는 "아내가 없었다면 이만큼 산다는 것을 상상도 하지 못했을 것"이라고 말했다. 은행원 출신인 정씨는 아내를 은행에서 만났다. 아내가 그보다 입행 선배였다. 같은 부서에서 티격태격하다가 정이 들어 결혼을 했다.

결혼을 하자마자 신용카드를 빼앗겼다. 사람들과 어울리기를 좋아하는 정씨로서는 큰 타격이었다. 초기에는 많이 다투었다. 아내가 부

배우자의 경제적 기여도 평가

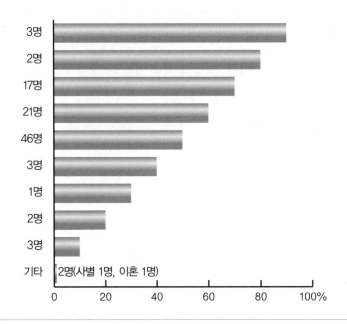

서의 '짠순이' 라는 사실은 알고 결혼했지만, 그 정도일 줄은 몰랐다.

"부서 집들이 때는 정말 심각했어요. 찌개 두어 개에 밑반찬 달랑 놓고 탕수육이 전부였어요. 그래서 부서 사람들 보는 앞에서 망신을 줬어요. 이게 뭐냐고 소리를 쳤지요. 집사람은 아무 말 않다가 사람들이 돌아간 다음에 울면서 그러더군요. '당신이 은행원 생활을 앞으로 몇 년이나 할 수 있을 것 같냐?' 고요. 우리들 미래를 위해선 어쩔 수 없다면서 우는 데 할 말이 없더군요."

그 후로 정씨의 생활이 바뀌었다. 차비와 소액의 비상금을 가지고 다니면서 끼니는 구내식당에서 해결했다. 부서 회식 또는 돈 낼 사람이 확실한 자리가 아니면 모임마저 회피하는 '빈대생활' 이 이어졌다.

그렇게 모은 돈으로 집을 샀고 몇 년 후에는 은행대출을 얻어 집을 또 한 채 장만할 수 있었다. 지금 정씨는 서울과 수도권 신도시에 3개의 빌딩을 가지고 있다. 처음에 집을 한두 채 장만하는 것은 힘들지만, 어느 정도 재산이 쌓이면 그 다음부터 돈이 쑥쑥 늘어난다는 것이 정씨의 말이다. 담보로 대출을 얻어 또 다른 부동산을 구입할 수 있다는 것이 부동산 투자의 매력이라는 게 정씨의 주장.

신데렐라는 없다

대부분의 가정에서는 남편이 월급을 타오면 아내가 이를 운용한다. 대출금도 갚고 적금도 부으면서 생활비를 쓴다. 헌데 유독 금융권에 종사하는 남성 샐러리맨의 경우, 스스로 돈을 관리하는 사람이 많다. 돈에 관한 한 자신이 아내보다 많이 안다고 생각하는 경향이 있다.

희한하게도 이런 사람들이 주식 투자를 했다가 큰 손해를 입는 것을 종종 발견하게 된다. 정연묵 씨는 "남편과 아내 중에서 누가 돈을 관리하느냐는 중요하지 않다"면서, "보수적인 사람이 관리를 맡고 다른 한 쪽은 그것을 잘 따르면 된다"고 말한다.

정씨는 아내를 통해 재산 증식에 눈을 떴다고 한다. 그러나 이 같은 경우는 많지 않다. 대개는 비슷한 사람끼리 만나 서로의 의지를 북돋 워주면서 부자의 길을 걸었던 것으로 나타났다. 부부는 오래 살수록 서로 닮아간다.

부잣집 출신의 배우자를 만나는 것도 방법이다. 이미 부가 조성된 배우자의 환경에 자신을 편입시켜 그 효과를 누릴 수 있다. 이는 스스로의 노력에 의해 가능한 일이다. 결혼 적령기의 일부 남녀들이 상대방의 조건을 심하게 따지는 것도 이 같은 노력의 일환이라고 볼 수 있다. 배우자의 '부자 부모'가 큰 재산을 상속해 줄 것이므로 부잣집에서 태어난 것과 다름없는 재산을 기대해 볼 만하다.

하지만 세상이 각박해지면서 이런 꿈을 꾸는 것이 점점 힘들어지는 추세다. 부자들 역시 조건을 따지기 때문이다. 상대방 집안이 어느 정도인지 살핀 이후에야 결혼 승낙 여부를 결정하곤 한다. 물론 '자식 이기는 부모 세상에 없다'는 말처럼 결혼 당사자가 막무가내로 고집을 부릴 경우 승복하는 사례가 있기는 하다. 따라서 신데렐라의 꿈을 꾸는 남녀에게 기회는 열려 있다.

다만, 유의해야 할 점이 있다. 부잣집 배우자를 만나 결혼생활을 이어갈 때 그만한 희생과 대가를 치를 각오가 되어 있느냐 하는 부분이다. 보는 사람의 시각에 따라서는 '투자'로 볼 수도 있겠다. 부자들이 누누이 강조하는 대목이다. 세상에 공짜는 없다고.

자존심을 버려야 한다. 이것이 중요한 포인트다. 학벌이나 유명세 등 뭔가 내세울 만한 조건이 있는 사람일지라도 부자 배우자 집안에서는 그 약효가 오래가지 않는 경우가 많다. 처음에는 그 장점을 추켜 세워주기도 한다. 그런데 어느 정도 시간이 흐르고 나면 칭찬이 사라진 자리에 썰렁한 감정이 나타난다. 부자들의 관점인 '경제력'으로 사위 또는 며느리를 판단하기 시작한다. 배우자 부모의 기대와 멀어지게 되면 점차 눈 밖에 난다.

배우자 가족이 의미 없이 던진 한마디가 가슴에 상처를 입히기도 한다. 그 가족의 눈초리가 싸늘하게 여겨질 때도 있다. 이런 환경 변화가 본인의 자존심과 충돌을 일으키기라도 하면 견디기 힘들어진다. 더구나 부자와 중산층 사이에는 문화적 차이가 있다. 부자 출신의 배우자가 호사를 부리는 것은 그 부모에게 너그러이 용납된다. 반면 신데렐라의 과소비는 눈엣가시가 되기도 한다. 간혹 '마당쇠' 혹은 '부엌데기'가 된 것이 아닌가 하는 자조에 빠질 때도 있다.

신데렐라는 동화 속에서나 있을 법한 이야기일 가능성이 높다. 우리는 동화 속의 신데렐라가 왕자와 결혼해 행복하게 살았다는 결말을 동화에서 보았다. 그러나 가난한 평민 출신인 그녀가 왕궁의 왕족들과 어울리며 어떤 스트레스를 받았는지에 대해서는 아는 바가 없다. 현실의 신데렐라로 성공하는 것은 동화의 내용과는 양상이 다르다.

100명의 부자들도 예외가 없었다. 이들 모두가 "아들(딸)의 배우자로는 기울지 않는 집안 출신을 선택하겠다"고 응답했다. '환경이 비슷해야 잘 살 수 있다'는 것이 그 이유였다. 장성한 아들을 둔 최충호 씨는 "결혼은 쌍방간의 출자이므로 서로 공평하게 분담하는 것이 좋지 않겠느냐"고 반문했다. 자식의 결혼에서조차도 냉정한 시각을 갖고 있었다.

자식들은 반드시 샐러리맨을 거치게 한다

"자식을 망치기 가장 쉬운 방법은
자식이 원하는 모든 것을 갖도록 해주는 것이다."
— 서양 속담 —

부자들 역시 과거에는 월급쟁이 신세였던 사람들이다. 취재 대상자 가운데 전업주부 1명을 제외하고는 모두가 월급을 타서 생계를 유지하는 샐러리맨 출신이었다. 전문직업으로 분류되는 의사와 변호사, 회계사들도 대학병원이나 법률사무소, 회계법인 등에서 사회생활을 시작했다. 처음부터 회사나 점포를 운영했던 사람은 발견할 수 없었다.

그러면 부자들은 샐러리맨 생활에 대해 어떻게 생각하고 있을까? 진심을 듣기 위해 그들의 자녀를 끌어들여 다음과 같은 질문을 해보았다. "샐러리맨들은 흔히 월급쟁이 생활에는 비전이 없다고 한탄합니다. 그래서 직접 자기 회사를 세우려고 노력합니다. 귀하께서 보시기에는 어떻습니까? 귀하의 자제 분이라면 뭐라고 말씀하시겠습니까?"

재미있는 답변이 나왔다. 100명 중 71명이 자녀의 샐러리맨 생활에

대해 긍정적으로 생각한다고 답변 한 것이다. '샐러리맨에게도 희망
이 있다. 모두가 사업을 해서 성공할 수 있는 것은 아니다. 샐러리맨도
나중에 전문 경영인으로 성공할 수 있다'는 응답이 가장 많았다(39
명). 다음으로는 '샐러리맨 생활은 반드시 겪어보아야 한다. 그러나
언젠가는 독립해서 사업을 하는 것이 좋다'고 답변한 응답자가 32명이
었다.

부자들 가운데 상당수가 자녀들 사회생활의 출발점으로 취업을 꼽
고 있는 셈이다. 심지어 개인 회사를 경영하고 있는 사장도 "다른 회사
에 취직해서 산전수전을 겪도록 한 다음에 불러들여 경영수업을 시키
겠다"고 말했다.

이 같은 반응은 다소 의외였다. '수십억, 수백억대의 재산을 물려받
은 자식들은 평생 놀고 먹을 수 있을 것'이라고 생각할 수도 있겠지만,
실상은 그렇지가 않은 셈이었다. '세상에 공짜는 없다'는 부자들의 모
토가 이 대목에서도 여실히 드러난 것이다.

임대료 수입 생활시키면 인생 망가진다

몇몇 사람들에게 물어보았다. "빌딩 하나만 물려줘도 임대료 수입으
로 먹고살 수 있을 텐데 군이 취직하게 해서 고생시킬 필요가 있나
요?" 이에 대한 부자들의 답변은 한결같았다. 대개가 이런 답변이었
다. "젊은 녀석이 임대료 받아서 살면 그게 무슨 꼴입니까? 그러다가
인생 망가지기 십상이죠. 고생해서 벌 생각을 해야지…."

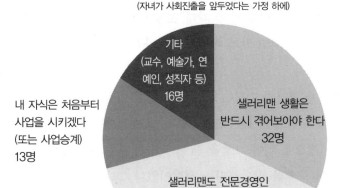

자녀의 취직을 원하는가

(자녀가 사회진출을 앞두었다는 가정 하에)

기타
(교수, 예술가, 연
예인, 성직자 등)
16명

내 자식은 처음부터
사업을 시키겠다
(또는 사업승계)
13명

샐러리맨 생활은
반드시 겪어보아야 한다
32명

샐러리맨도 전문경영인
으로 성공할 수 있다
39명

부동산 임대업을 하는 박철규 씨는 "아들이 대학을 마치고 나면 대기업에 취직하기를 원한다"고 말했다. 큰 조직에 있던 사람과 그렇지 않은 사람 간에는 상당한 차이가 있다는 것이 그의 지론. 큰 조직에서는 일을 체계 있게 배울 수 있고 식견을 넓힐 기회가 많다는 얘기다.

"골프를 함께 쳐보면 금방 알 수 있습니다. 대기업 출신 사람들은 상하 구분이 뚜렷하고 매너가 좋아요. 체계가 잡힌 조직생활을 통해 훈련을 받기 때문일 겁니다. 되도록 그런 큰물에서 일하는 것이 좋습니다. 최소한 5년 이상은 대기업에서 훈련을 받은 다음에 사업을 하겠다면 밀어줄 생각입니다. 세상 물정도 모르는데 처음부터 사업을 할 수 있나요?"

반면 의사 김인철 씨는 "자기 사업을 하는 것이나 기업에 들어가 전문 경영인으로 성공하는 것이나 별반 차이가 없다"면서 "되도록 덜 위험한 샐러리맨 쪽이 마음이 편할 것 같다"고 응답했다. 그는 "의사생활이 날이 갈수록 힘들어지고 있기 때문에 아이가 의사가 되기를 바라지는 않는다"고 말했다.

전자부품 회사를 경영하고 있는 문지형 씨는 "큰아들이 유학 중인데 돌아오면 대기업에 취업하기를 바라고 있다"고 얘기했다. 대기업에서 재무나 기획, 마케팅을 맡아 고생을 한 뒤 싹수가 보일 때에야 자신의 회사로 불러들여 중책을 맡기겠다는 생각이었다. 그는 "아버지가 만들어놓은 구멍가게를 제대로 키워내려면 대기업에서 경쟁을 뚫고 살아나가는 모습을 익혀야 할 것"이라고 강조했다.

한편 '처음부터 사업을 시키겠다(또는 회사를 물려주겠다)' 는 응답은 13명이었다. 나머지 16명의 답변은 다양했다. '대학 교수를 시키겠다' 는 답변도 있었고, 예술가, 부동산 관리업, 연예인, 직업 군인, 목사, 디자이너 등 다양한 희망사항이 나왔다.

돈 쓰는 습관은 유전된다

"가난도 상속된다."
— 이계열(입시학원 운영) —

대기업 차장인 류태복 씨는 얼마 전까지 그의 부모 집에 얹혀 살았다. 그는 취재한 100여 명의 부자 가운데 가장 젊은 36세이다. 군 면제를 받아 24세에 결혼을 했으니, 무려 10년 넘게 부모 눈치 밥을 먹으며 살아온 것.

돈이 없어서 부모 신세를 진 것은 아니다. 그의 재산은 지금 살고 있는 아파트를 제외하고도 20억 원에 이르는 것으로 추정된다. 류씨의 부모는 수백억대 재산가다. 부모에게서 물려받아 그 많은 재산을 갖게 된 것으로 짐작할 수도 있겠다.

그러나 류씨는 스스로 "자수성가했다"고 주장한다. 그가 부모에게 물려받은 것은 35평 규모의 아파트 한 채였다. 그것도 부모를 모시고 산 지 2년 만의 일이었다. 수백억대 부잣집 맏아들인 그로서는 억울할 수도 있겠다. 하지만 부잣집에서 태어나지 못한 대다수 사람들이 힘겹게 전세로 출발하는 것에 비춰보면 아파트 한 채만 있어도, 동년배들에 비해 100미터 이상 앞서가는 셈이다. 그래서 부잣집 출신과 그렇지 않은 사람은 출발점부터 다르다. 뒤쫓아가는 사람들이 기를 써봐야 격차만 벌어지는 경우가 대부분이다.

류태복 씨는 부모가 사준 아파트에 입주하지 않았다. 오히려 그 아파트에 전세를 놓고 그 돈을 받아 전문상가 점포를 분양 받았다. 자그마한 두 구좌를 얻을 수 있었다. 잔금이 조금 모자라 부친에게 도움을 요청했으나 거절당했다.

"우리집 노인들, 지독해요. 어머니는 봉투 값 아낀다고, 쓰레기를 꼭꼭 뭉쳐 밀어 넣지요. 어떤 때는 싸들고 나가서는 다른 동네에 몰래 버리고 오시기도 해요. 얼마나 살림을 챙기시는지, 일 도와주러 오는 아주머니(파출부)들이 견디지를 못해요. 아버지는 더합니다. 그분 주머니에는 항상 이쑤시개와 냅킨이 가득 들어 있어요. 식당에 가실 때마다 듬뿍 들고 나오는 거죠. 축농증이 있어서 자주 코를 푸시거든요. 휴지 값도 아깝다는 거죠. 이런 분들한테 돈 좀 달라고 해봐야 소용없어요."

자수성가한 부모가 더욱 엄격하다

결국 류씨는 신용대출을 받아 잔금을 완납할 수 있었다. 그렇게 상가 투자에서 시작된 류태복 씨의 돈 굴리기는 2001년, '상가 싹쓸이 투자'를 정점으로 20억 원에 이르렀다. 수도권 도시에 대형 의류 쇼핑센터가 지어졌는데, 이 중 1개 층이 완공을 앞두고도 분양 미달되었던 것이다. 당시로서는 '서울 동대문에 의류 쇼핑센터가 즐비한데, 수도권에서 과연 되겠느냐'는 우려가 많았다. 결국 시공사와 시행사는 일정에 쫓겨 분양 대행업체를 통해 상가를 싼값에 내놓았다.

이 같은 정보를 입수한 류태복 씨는 모든 재산을 털어 투자를 했다. 대행업체가 다른 큰손들을 묶어 컨소시엄을 구성했다. 다행히 입주 상인이 늘어난 덕분에 쇼핑센터가 문을 열 수 있었는데, 인기가 대단했다. 서울로만 향했던 청소년들은 물론 소매상인까지 몰려들면서 상권이 크게 북적대기 시작했다. 그리고 이는 시세 상승으로 이어졌다. 마침내 류씨는 쇼핑센터가 문을 연 지 8개월 만에 투자 원금의 2.3배에 달하는 자금을 환수할 수 있었다. 낮은 가격에 매입한 것이 높은 수익률로 이어진 형국이었다.

"어렸을 때는 부모님이 원망스럽기도 했습니다. 다른 친구들은 돈을 잘 쓰는데 제 호주머니는 항상 비어 있었거든요. 그런데 철이 들고 나니까 생각이 바뀌더군요. 부모님이 존경스러웠습니다. 지금 제가 돈을 쓰는(투자하는) 기준은 그것이 앞으로 더 큰돈이 되겠느냐 하는 것입니다. 부모님한테 얹혀 살기로 한 거요? 결혼 전에 제가 지나가는 얘기처럼 해 봤더니, 아내가 더 역성을 들더군요. 그래야 자기도 직장에 편히 다닐 수 있고 생활비도 안 든다나요."

류태복 씨는 중매로 결혼을 했다. 아내는 부친 친구의 딸이다. 부친의 친구 역시 짜기로 소문난 알부자라고 했다. 이런 것을 보고 부창부수(夫唱婦隨)라고 하는 모양이다. 류씨의 아내는 외국계 기업에 다니는데, 남편보다 수입이 더 많다고 했다. 부부가 벌어들인 수입이 고스

란히 쌓인 것도 투자자금을 만드는 데 한몫 했을 것이다. 나란히 직장 생활을 하는 이들 부부의 연봉을 합하면 1억 원이 훨씬 넘는다.

류씨는 지금 부모가 살고 있는 단지의 중형 아파트를 구입해 생활하고 있다. 아이를 돌봐줄 사람이 없어 부모의 도움을 지속적으로 받고 있는 것이다. 류씨는 "은퇴한 아버님에게 신세를 지는 것도 일종의 효도라고 생각한다"고 말했다.

K는 필자의 먼 친척이다. 그의 부친은 선대로부터 상당한 땅을 물려받은 분이었다. 그래서 K는 줄곧 유복하게 자라왔다. 어릴 적에는 온갖 장난감과 먹거리를 손에 들고 있는 K를 모두가 부러워했다. 그의 부모는 자식들이 원하는 것이라면 돈을 아끼지 않았고, K 가족 주변의 모든 것이 최고급 일색이었다. K의 부친은 전문직에 속하는 직업을 가지고 있어 수입 또한 남부럽지 않은 편이었다.

언제부턴가 K의 집이 몰락해 가고 있다는 것을 알게 되었다. 대지가 150평이 넘는 궁궐 같은 집에서 살던 K 가족은 살림을 줄여 50평대 아파트로 이사를 했고, 몇 년 후에는 30평대 아파트로 다시 옮겼다. K의 여동생이 결혼을 했을 때였다.

K가 결혼할 때는 전세자금을 마련해 주기 위해 부모가 집을 팔고 신도시로 전세를 잡아 이사를 해야 했다. K의 부모는 막내딸을 결혼시킬 때에는 급기야 전세마저 빼내 다가구주택의 반지하 방으로 거처를 옮겼다.

하지만 K 부모의 생활은 여전하다. 반지하 방에 살면서도 가끔씩 파출부를 불러 일을 시킨다. 100만 원이 넘는 비싼 강아지를 키우며 치장을 해준다. 부모의 생활비를 분담하는 K는 "부모님이 원망스럽다"고 말한다. 그 좋던 시절에 저축 한푼 하지 않고 쓰기만 한 것이 결국 이 모양이 되었다는 것이다.

그러면서도 K는 할부로 중형 승용차를 뽑는다. 동남아 여행을 다녀 오기도 한다. 절약을 하지 않는 부모를 원망하면서도 본인이 아끼지 않는 것에 대해서는 둔감한 눈치다. K는 아내와 아이를 외국에 유학 보 낼 생각을 하고 있다. 전세를 빼면 몇 년 유학비가 빠진다는 계산이다. 다만, 유학을 다녀온 아이가 그것을 고마워할지, 아니면 쪼들려 사는 부모를 원망할지 두고 볼 일이다.

모든 사람이 그렇지는 않겠지만, 이처럼 돈 쓰는 습관을 부모에게서 물려받는 사람이 많다. 어쩌면 습관이라는 놈도 유전이 되는 것인지도 모르겠다. 그래서 자기 손으로 성공을 일궈낸 부모일수록 아이들에게 도 엄격하다.

이상적 배우자는 '말이 통하는 사람'

"돈 걱정에서 벗어나 본 적이 거의 없는 것 같다.
그럴 때마다 아내와 상의를 했다. 그러면 최소한 걱정이라도 덜 수 있었다."
— 이일환(부동산 임대업) —

"배우자의 생활 성향을 한마디로 표현하면 어떻습니까?" 하는 질문을 던져보았다. 처음 몇 명의 부자를 만날 때에는 보기를 주고 선택하도록 했다. 그러나 예상 외로 다양한 대답이 나왔다. 취재 대상이 10명이 넘으면서부터는 빈칸으로 남겨두고 그들의 이야기를 들었다. 그런데도 공통점을 뽑아낼 수 있었다.

가장 많은 답변은 '내 이야기를 잘 듣는다' 또는 '대화가 통한다' 는 것이었다. 다음이 '검소하다' 였고, 욕심이 많다, 인내심이 많다, 적극적이다 등의 응답도 많았다.

이순애 씨는 취재 중 만난 유일한 여성 가운데 가장 나이가 많은 사람이다. 칠순을 바라보는 나이였다. 남편은 오랫동안 교육공무원으로 일하다가 은퇴를 했다. 이씨는 집 근처 증권사 지점의 대형 고객이다.

이씨가 전화를 해서 "저 이순애인데요"라고 한마디만 하면 직원들이 지점장을 바꿔준다고 한다.

이씨의 집은 서울 변두리의 주택가에 자리잡은 4층짜리 주상복합 건물이었다. 그 집을 방문했을 때 기이한 장면이 눈에 띄었다. 넓은 거실이며 방이며 구석마다 두루마리 휴지가 천장까지 높이 쌓여 있었던 것.

"웬 휴지가 이렇게 많나요? 휴지 장사라도 하시나요?" 하고 농담 어린 말로 물었다.

이씨는 "휴지에 한이 맺혀서 그렇지요"라며 미소를 짓는다.

불과 몇 년 전까지도 돈을 아끼느라 휴지를 사용하지 않았다는 것이다. 아이들에게만 휴지를 주고, 부부는 신문지나 일력(매일 뜯어내는 얇은 종이의 달력)을 화장실에서 사용했다는 사연이다. 그것이 한이 되어 지금도 휴지를 바겐세일하는 곳이 있으면 달려가서 몇 두루마리씩 사온다고 이씨는 말했다.

돈이 안 나오는 집은 싫어요

그들이 부자가 된 것은 이순애 씨의 노력 덕분이었다. 이씨의 남편은 재테크에 관해서는 문외한이나 다름없었다. 다음은 이씨에게서 전해 들은 에피소드.

이들 부부는 오랫동안 고생을 한 뒤 여력이 생기자, 넓은 집을 사서 이사하기로 하고 동네에서 마땅한 집을 물색했다. 그렇게 해서 찾아낸 곳이 유명 트로트 가수가 사는 집. 120평이 넘는 대지에 멋들어지게 세워진 집이었다. 남편이 이 집에 홀딱 반해 부인이 다른 집을 알아보는

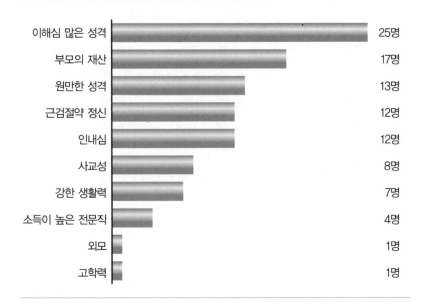

자녀에게 추천하고 싶은 배우자 덕목은

이해심 많은 성격	25명
부모의 재산	17명
원만한 성격	13명
근검절약 정신	12명
인내심	12명
사교성	8명
강한 생활력	7명
소득이 높은 전문직	4명
외모	1명
고학력	1명

사이에 덜컥 계약을 하고 말았다.

이순애 씨는 남편을 설득했다. "나는 그런 집 싫어요. 그 집에서는 돈이 안 나오잖아요. 밑에 상가라도 들여서 월세를 받아야지, 그렇게 큰 집에 우리 가족이 살아봐야 세금만 많이 내야 하잖아요. 다시 지을 수도 없고요."

처음에는 고집을 피우던 남편도 이씨의 말에 고개를 끄덕이게 됐다. 해약을 했다. 부부는 그 돈으로 땅을 산 뒤 일부 대출을 받아 업무용 빌딩을 올렸다. 빌딩 바로 앞에 전철역이 생기면서 임대료 수입이 치솟았고, 부부는 이 빌딩을 기반으로 더욱 많은 부를 쌓을 수 있었다.

"돈을 모으려면 부부간에 얘기가 잘 통해야 해요. 한쪽은 단돈 100원에 벌벌 떠는데 다른 쪽이 물 쓰듯 하고 다니면 부자가 될 수 없어요. 대화를 많이 나누고 서로 이해하려고 노력해야 한푼 두푼 모이게 되는 거죠. 그래서 나는 복 받은 사람이죠. 바깥양반이 많이 벌어다 주지는 못했어도 내 말을 잘 들어주고 해서 마음고생은 덜 했으니까요."

부자들은 배우자와 많은 대화를 나누는 편이라고 스스로 평가했다. 대화를 통해 현재의 재정상태에 대한 정보를 공유하고, 투자방향을 설정하는 동시에 생활습관을 서로 맞추는 독특한 '가계 경제 시스템'을 운영하고 있었다.

이 같은 시스템의 원천은 '대화'에서 나온다. 분란이 끊이지 않는 가정에서는 찾아보기 어려운 대목이다. 대화를 나누기 위해서는 상대방에 대한 이해와 인내가 필요하다. 귀를 막은 채 상대방에게 자기 생각만 강요한다면 서로의 의중을 알 수 없어 대화를 나누기 조차 어렵다. '대화'는 부부의 의지를 서로에게 전달하는 도구이자 공동의 목표를 향해 함께 뛰도록 몰아세우는 자극제이기도 하다.

몇 년 전, 수억원대의 비리를 저지른 한 말단 공무원의 집을 수색한 경찰은 실소를 금할 수 없었다. 그 아내의 가계부에 이런 글이 적혀 있었기 때문이다. '남편을 믿자. 지금은 30평 아파트로 만족하자. 내후년엔 60평이고, 그 다음에는 벤츠다.' 비리 공무원 부부마저 삶의 목표를 다짐하기 위한 대화를 나누고 있었던 셈이다.

100명의 부자에게 "경제적 성공을 이룩하는 데 가장 좋은 배우자 상을 추천한다면 어떤 스타일인가?" 하고 물었다. 만일 자녀에게 적합한 배우자를 선택할 때 구체적으로 어떤 기준을 갖고 있느냐는 질문이었다.

'이해심이 많은 성격'을 꼽은 사람들이 가장 많았다. 자녀가 마음고생을 하지 않아야 하며 부자가 되는 데도 이런 측면이 중요하다는 의미에서였다. 다음으로는 '부모의 재산이 많은 사람'을 선택했다. 남들보다 더 많이 가지고 출발을 한다는 것은 간과할 수 없는 요인이라는 주장이었다. 딸만 둘을 두었다는 김대영 씨는 "사위 집의 재산이 많으면 많을수록 보탬이 되는 것 아니냐. 돈이 중요하지 않다는 것은 없는 사람들의 말장난일 뿐"이라고 주장했다.

이밖에 원만한 성격, 근검절약 정신, 인내심, 사교성 등도 자녀의 배우자 선택에 중요한 기준으로 꼽혔다.

재산이 많은데 보험은 왜 들까?

"쪼들려 살면서 행복하다고 말할 수 있을까.
아이들에게 궁핍함을 물려주면서, 행복은 마음에 있다고 주장한들 소용이 있을까."
— 정창무(호탈업) —

종신보험, 연금보험, 상해보험, 암보험…. 부자들이 가입한 보험들이다. 부자 100명 가운데 93명이 어떤 형태로든 보험(자동차보험 제외)에 가입하고 있었다. 여기서 의문이 생긴다. 이런 보험은 언젠가 발생할 위험에 대비해 금전적인 여력을 쌓아놓기 위한 것이다. 그런데 돈이 많은 부자들은 왜 이런 보험에 가입하고 있을까? 그것도 고액 보험인 종신보험 가입자가 대부분이었다. 한푼을 아끼는 구두쇠형 부자도 매달 100만 원에 가까운 돈을 보험료로 내고 있었다.

민형기 씨는 "내가 잘못될 경우 아내와 아이들의 부담을 줄이기 위해서는 보험만한 것이 없다"고 얘기한다. 그는 3명의 자녀를 둔 50세의 가장이다. 재산은 빌딩 한 채와 아파트 정도. 그 이상은 이야기하지 않았다. 민씨는 "보험금을 타면 아이들이 최소한 상속세를 내는 데는 보탬이 될 것이라는 얘기를 듣고 종신보험에 가입했다"고 말했다.

그가 사망할 경우, 유족이 부담해야 할 상속세는 현재 기준으로 약 8,000만 원 상당이다. 빌딩을 15억 원(과세표준, 실제 가격은 훨씬 높다)으로 치고 아파트 2억 원(역시 과표 기준)에 현금 5,000만 원을 물려줄 경우 그렇다는 얘기다. 상속 증여세에는 누진율이 적용된다. 1억 원 이하는 세율이 10%지만, 10억 원이면 30%다. 30억 원을 넘으면 무려 50%다. 절반을 세금으로 내야 하는 형국이다.

얼마 전 한 젊은 경영자가 선친에게서 물려받은 회사를 80억 원 상당에 매각해 화제가 된 적이 있었다. 작전세력이 붙어 주가가 폭등했다가 결국 부도를 내고 말았는데, 원래는 꽤 우량기업이었다. 그런데 젊은 경영자가 회사를 매각했던 이유가 바로 상속세 때문이었다. 상속세가 무려 70억 원이나 나오는 바람에 부친이 남겨준 회사 중 하나를 팔았던 것이다. 상속세는 재산이 없는 사람에게는 아무것도 아니지만, 부자들에게는 가장 무서운 세금이다.

민형기 씨가 15억 5,000만 원을 물려준다고 가정할 때 이 중에서 1,000만 원 가량의 비용 공제(장례비 등)를 받을 수 있다. 따라서 상속세 기준액은 15억 4,000만 원이 된다. 여기에서 5억 원이 일괄 공제된다(상속세를 안 물리는 선). 또 배우자에 대한 상속 5억 원을 공제해 준다. 미성년 자녀의 경우 20세까지의 남은 연수에 500만 원을 곱한 금액이 공제된다. 별 도움이 안 된다. 결국 이런 것들을 제외하면 상속세 과세 표준은 5억 700만 원 정도가 된다. 여기에 30%의 세율이 적용되므로 8,000만 원 상당의 세금을 내야 한다는 계산이 나온다.

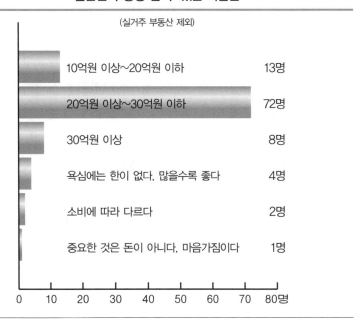

일반인이 평생 살 수 있는 자금은

(실거주 부동산 제외)

10억원 이상~20억원 이하	13명
20억원 이상~30억원 이하	72명
30억원 이상	8명
욕심에는 한이 없다. 많을수록 좋다	4명
소비에 따라 다르다	2명
중요한 것은 돈이 아니다. 마음가짐이다	1명

민씨가 사망할 경우 받게 되는 보험금은 5억 원 정도. 그는 "아내와 아이들이 보험금 5억 원을 받아 세금을 내면 어느 정도 여유를 가질 수 있고, 남은 돈으로 당분간 수입 없이 생활할 수 있다는 점을 고려했다"고 말한다.

일종의 상속 지원용 자금이라는 것이다. 그는 매달 257만 원 상당을 종신보험료로 납입하고 있다.

일부 부자의 경우 여러 보험사의 상품에 중복 가입을 해놓고 있었다. 보험의 특성상 상속자금이나 상속세, 증여세의 절세 수단 및 세금 재원으로 활용할 수 있다는 점 때문이다. 이런 사람들에게 보험은 자산의 포트폴리오 구성 중의 하나로 여겨진다. 본인이 사망할 경우 유족들은 수십억 원의 보험금을 타게 된다.

엄철용 씨는 "친척 아줌마들이 보험 가입을 자주 강요할 때에는 생각도 하지 않았는데, 작년에 죽은 친구가 보험금을 상당히 남겨준 것을 보고 마음을 바꾸었다"고 말했다. 가족들을 위해 힘들게 돈을 벌었는데, 이왕이면 눈을 감는 순간까지 한푼이라도 더 남겨줘야겠다는 배려라고 한다. 다른 사람들과의 거래 관계에서는 가혹한 엄씨도 가족 앞에서는 자상한 가장이었던 것이다.

부자들이 보험에 가입하는 이유는 가족에 대한 배려도 있지만, 본인을 위한 측면도 있다. 앞날이 어떨지 모른다는 불안감이 이들에게 보험가입을 부추기는 것으로 보인다. 연금보험 가입자가 많다는 부분(48명)에서 알 수 있다. 더구나 부자들 중 상당수는 과거에 실패를 경험해 본 사람들이다. 하루아침에 무일푼으로 돌아갈 경우, 생계를 유지할 수 있는 마지막 수단으로 보험을 활용하고 있는 셈이다.

부자의 반은 맞벌이 부부

"정년까지 평생 월급을 모아도 30평대 아파트 값(3억 원)이 안 될 것이다.
정년은 단축되고 교육비와 생활비는 늘어난다."
― 모 신문 설문조사(3,914명 중 60.1%가 이같이 응답) ―

서울의 아파트 밀집지역을 다니다 보면 놀이터에서 뛰노는 아이들을 찾아보기 힘들다. 요즘 세상의 풍경이다. 중고생은 두말할 필요도 없다. 초등학교만 들어가도 방과후에 바빠진다고 한다. 온갖 과외와 학원이 아이들을 기다린다. 유치원 아이들을 대상으로 한 고급 교육이 열풍처럼 번진다.

꽤 산다는 축에 드는 서울 시내 몇몇 동네의 경우, 아이들 한 달 학원비와 과외비가 100만 원을 넘는다. 아이 둘을 기르는 부모라면 200만 원 가량을 사교육비로 부담해야 한다는 얘기다.

21세기의 패러다임으로 고착화된 '무한경쟁'은 이제 사업이나 직장에 국한되지 않는 모양이다. 한참 자라야 할 아이들까지 경쟁세계로 뛰어들어 생존을 놓고 다투어야 한다. 씁쓸한 일이다. 우리나라 부모들이 부담하는 사교육비가 10조 원에 육박하고 있다. 우리나라의 국내

총생산(GDP) 규모가 500조 원을 넘은 것이 몇 해 되지 않는다.

문제는 수입이 넉넉지 않은 샐러리맨 부모마저 이 같은 경쟁대열에 나설 수밖에 없다는 사실이다. "내 아이만은…"이라는 한국 특유의 '열성 부모 심리'가 사교육 시장을 더욱 달아오르게 한다. 울며 겨자 먹기로 수입의 절반 이상을 떼어내 아이들 학원비로 쓴다. 게다가 학교 준비물과 '돈 드는 숙제'는 왜 그리 많은지…. 이 땅에서 부모라는 멍에는 더욱 무거워지고 있지만, 그 해결책은 보이지 않는다.

맞벌이를 하지 않으면 기회가 없다

그렇다면 대다수가 샐러리맨인 부모들은 이토록 엄청난 사교육비를 어떻게 부담하고 있을까? 초등학생 아이를 둔 연령대의 샐러리맨 가장의 생활 형편은 뻔하다. 이들의 월급은 아무리 많아야 300만 원 언저리일 것이다.

이 정도의 돈으로 아파트 대출금 갚으면서 과외비로 매달 100만 원을 투입할 수 있을까? 아파트 대출이 없다고 해도 마찬가지다. 수입의 3분의 1을 사교육비로 쓴다는 것은 정상이 아니다. 다른 학부모와의 경쟁에서 뒤쳐지지 않기 위한 문화생활비와 기타 비용 등을 모두 합하면 300만 원도 모자라 보인다.

부모에게서 한 밑천 물려받지 않은 바에야 월급만으로 생활하기 힘든 현실이 펼쳐져 있다.

필자가 만난 일부 부자들은 "맞벌이를 하지 않으면 기회가 없다"고

맞벌이에 찬성하는가

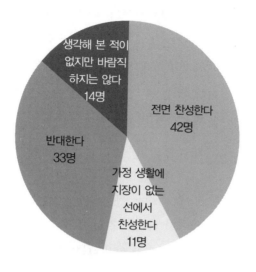

생각해 본 적이 없지만 바람직 하지는 않다 14명

전면 찬성한다 42명

반대한다 33명

가정 생활에 지장이 없는 선에서 찬성한다 11명

주장했다. 과거에는 남편 혼자만의 수입으로 생활을 꾸려갈 수 있었지만, 그런 시대는 바야흐로 종말을 고했다는 주장이다. 아이들 사교육비에 여가생활, 외식 등 돈 쓸 곳이 무한하게 늘어나고 있어 남편의 수입만으로는 살기 힘든 세상이 되었다는 것이다. 세상의 추세를 외면하고 살아갈 수도 있겠으나 결코 쉽지 않을 것이라는 게 이들의 분석이다.

서형준 씨는 "남편이 타락하는 것을 막기 위해서라도 이제는 아내가 맞벌이에 나서야 한다"고 주장했다. 월급은 정해져 있는 반면, 써야 할 곳은 눈덩이처럼 불어나는 마당에 남편들은 생활고에 어려움을 겪을 수밖에 없어 결국 비리의 유혹에 빠지기 쉽다는 것이다.

서씨는 "부인이 일정 부분의 수입을 벌어들임으로써 부정의 유혹에 빠뜨릴 수 있는 생활고에서 남편을 벗어나게 해주어야 한다"고 말했다. 우리 주변에는 비리의 네트워크가 항상 도사리고 있다. 생활에 쫓겨 결심이 허술해지는 순간, 그 네트워크에 가담하게 된다.

100명의 부자 중에서 맞벌이에 찬성한다는 사람은 53명이었다. 절반을 간신히 넘긴 것이다. 젊은 층 비전문직일수록 맞벌이에 동의한다는 시각이었다. 의사와 변호사를 비롯한 전문직과 중년층은 맞벌이에 반대했다.

지금은 '전업주부'가 된 라철홍 씨가 맞벌이 부인 덕을 톡톡히 본 케이스다. 대기업 연구원이던 라씨는 지난 1990년대 후반, 창업을 해 사장이 되었다. 인터넷 통신기술을 개발하는 사업체였다. 그러나 사업 초반에는 매출을 올리지 못해 자본금만 까먹는 형국이었다. 직원들 월급은 줄 수 있었지만, 자기 월급을 가져가는 것이 쉽지 않았다.

이런 와중에 부인 서현주 씨가 맞벌이 전선에 나섰다. 유명 백화점의 디스플레이어 출신이었던 서씨는 백화점 재취업에 퇴짜를 맞자 궁여지책으로 선배의 신발 매장 점원으로 들어갔다. 120만 원 남짓한 월급으로 생활을 꾸려갈 수 있었다.

그러다가 1999년에 벤처 붐이 일면서 라씨의 회사에 큰 규모의 투자 자금이 몰려들었다. 라씨는 이렇게 모은 자금을 개인적으로 사용하지 않았다. 일부 벤처기업 사장들이 투자 받은 돈을 자기 재산으로 빼돌리기도 했는데, 라씨는 중심을 꿋꿋하게 지켰던 셈이다. 라씨 주변의 일부 사장들은 나중에 투자자들이 고소하는 바람에 횡령 혐의로 구속되기도 했다.

"수십억 원이 들어왔어요. 인터넷이니 정보통신이니 이름만 보고 돈이 몰려들 때였습니다. 처음에는 다른 생각이 들기도 했습니다. 그 돈으로 집도 사고 대형차도 살까 했지요. 남들이 다 그랬으니까요. 그런데 처자식 얼굴이 떠오르더군요. 아내가 힘들게 벌어 먹여 살렸는데 이게 뭐 하는 짓인가 싶어서 마음을 고쳐먹었지요. 아내에게 고마울 따름입니다. 덕분에 범법자가 안 됐잖아요."

라씨의 집을 방문했을 때 그는 앞치마를 두르고 있었다. 방금 전 점심을 해 먹고 설거지를 마쳤다는 것. 아이들과 함께 지내면서 '준 아줌마'가 되었다고 웃는다. 지금 라철홍 씨는 쉬면서 다른 사업을 구상하고 있다. 평생 쓸 만큼의 돈은 벌어놓았다. 사업체를 넘기고 받은 돈이다. 회사 돈에 손을 대지 않은 것이 좋은 결과로 이어졌다.

2000년 중반, 모 업체가 '사업을 다각화한다'면서 라씨의 회사에 매각을 제의했고, 라씨는 한동안 고민을 하다가 회사를 넘기기로 했다. 회계법인 사람들이 회사에 나와 장부를 검토했는데, 사장이 유용한 것이 없는 데다 자금 흐름이 깨끗해 일사천리로 매각 절차가 진행됐다.

라씨는 매각대금으로 얼마를 받았는지는 언급을 회피했다. "상당한 돈을 벌었다"는 정도로 말문을 닫았다.

그런데 그 중 일부를 인수 회사의 주식으로 받은 것이 문제가 되어 당국의 조사를 받았다고 한다. 라씨 회사를 인수한 기업의 주가가 급등하자 이에 대한 조사가 들어왔고, 높은 가격에 주식을 팔았던 라씨도 '작전세력'이라는 의심을 받았던 것. 그러나 당국에 출두해 그간의 사정을 상세히 밝힌 결과 무혐의로 풀려났다.

부인 서현주 씨는 모 백화점에서 가죽 제품 매장을 운영하고 있다. 서씨의 한 달 수입이 라씨가 운영하던 사업체의 반 년치 매출과 맞먹는다. 어쨌든 회사 돈에 손을 대지 않고 투명하게 경영을 한 것이 위기의 방패막이는 물론 큰돈을 벌 기회로 작용한 셈이다.

라철홍 씨는 '맞벌이 예찬론자' 다. "함께 돈을 벌어야 돈을 모은다는 것이 얼마나 힘든 일인지 서로 이야기할 수 있고 어려울 때 고민을 함께 나눌 수 있다"는 것이 라씨의 주장이다. 그는 "전업주부 경험을 살려 가정용품 사업을 해볼까 하는 생각을 갖고 있는데 섣불리 착수하기는 어렵다"면서, "아내와 상의한 뒤에 차근차근 준비해 볼 것"이라고 말했다.

가족은 돈을 버는 궁극적인 목적이다

"재산을 얻어도 가정을 잃는다면 무슨 소용이 있을까."
―한영수(공구 도매업)―

가정이 화목한지를 묻는 질문에 82명이 '그렇다' 라고 응답했다. 7명이 '화목한 편이다' 라고 다소 애매하게 답했으며, 나머지 11명은 응답을 회피했다.

그렇다면 100명의 부자들 중 상당수가 가정생활에 만족하고 있다는 결론이 도출된다. 애매하게 답하거나 회피한 사람 중 일부는 자녀 문제 때문에 골머리를 앓고 있었다. 하지만 "가정과 건강이 가장 중요하다" 는 것이 부자들의 한결같은 반응이었다.

물론 '화목한 가정생활을 한다' 는 82명의 응답이 사실인지 여부는 확인할 수 없다. 어느 누구도 그것을 판단할 뚜렷한 척도를 가지고 있지 않다. 화목한지 아닌지는 수학문제를 풀어 정답을 맞추는 것과는 다른 차원의 일이다. 오히려 그보다 눈여겨봐야 할 포인트는 '가정이 그 무엇보다 중요하다' 고 여기는 그들의 의지가 아닌가 싶다.

무역업을 하고 있는 명인수 씨는 "가족이 아니라면 무엇 때문에 돈을 모았겠느냐"고 반문했다. 한마디로 그는 내 가족의 윤택한 생활을 목표로 삼아 매진해 왔다는 것이다. 가족을 위해 남들보다 부지런하게 움직였으며 노력을 거듭한 것이 오늘날의 기반이 됐다고 그는 강조한다.

명씨가 사업을 결심했을 때, 그의 목표는 '1년에 한 번씩 해외여행을 가는 것'이었다고 한다. 그 후 12년 만에 그 이상의 성과를 거두었다. 맏아들을 미국으로 유학 보냈고, 해마다 여름이면 가족 단위 해외여행을 다닌다.

"샐러리맨 시절, 골프를 배웠어요. 그때 부러운 사람들이 있었습니다. 가족끼리 사이 좋게 나와서 골프를 치는 모습이 참 좋아 보였지요. 저야 일 때문에 접대를 하느라 필드에 나갔는데, 얼마나 돈을 벌면 저렇게 할 수 있을까 생각을 해봤지요. 지금은 제가 그렇게 해요. 집사람하고 저, 아들 둘이 함께 라운딩하면 딱 한 팀이지요."

명씨는 "아내와 아이들이 어려운 시절을 잘 참고 견디어주었다"면서, "가족이 아니었다면 몇 번이나 사업을 포기했을 것"이라고 말했다. 그는 거래처의 부도로 인해 살던 집을 잃었던 적이 있다. 그 어려웠던 시절, 그를 지탱해 주었던 힘의 원천이 가족이었다고 그는 강조한다.

명인수 씨는 "다음달 10일이 아내의 생일"이라면서 "아내가 욕심을 내던 일본산 아이언 세트(골프채)를 선물로 사주어야겠다"고 자랑을 했다.

화목하지 못한 가정은 밑 빠진 독

부자들도 다르지 않다. '가족은 희망의 또 다른 이름'이라는 표현은 누구에게나 마찬가지다. 조직폭력배와 함께 TV 드라마의 단골 메뉴로 등장하는 부자들은 대개 '깨어진 가정환경' 속에서 살아가는 것으로 묘사되는데, 현실에서는 그렇지 않은 경우가 많다.

권영주 씨는 "돈을 버느라 가족에게 신경 쓰지 않는 사람이 주변에 있긴 한데, 그런 경우 돈을 벌더라도 내팽개쳤던 가족으로 인해 더욱 큰 대가를 치른다"고 말했다.

권씨의 말대로 화목하지 못한 가정은 큰 비용을 유발하는 요인이 되기도 한다. 그 비용이 금전적인 것에만 국한된다면 오히려 낫다. 아무리 많은 돈을 번들, 가정이 풍비박산 나면 본래의 목표를 상실하게 된다는 것이 부자들의 시각이었다. 한마디로 사는 재미가 없어지는데 돈을 번들 무슨 의미가 있겠느냐는 인식인 듯하다.

조사 대상자 가운데 이용승 씨는 이혼을 한 경우다. 그를 소개해 준 은행 지점장은 그가 나타나기 전에 "전 부인과의 불화 때문에 많이 손해를 봤지만 이 사장의 재산이 아직 50억은 족히 넘을 것"이라고 귀띔했다. 건물과 상가 등을 보유하고 있는 이씨를 한 은행 지점의 응접실에서 만났다.

인터뷰를 하는 중에 그의 딸에게서 자주 전화가 걸려왔다. 중학교 1학년생 딸이 여름방학을 맞이해 집에 있는 모양이었다. 사소한 얘기를 하는 것 같았다. 밥을 챙겨 먹었다. 아줌마가 장을 보러 나갔는데 안 온

다, 친구가 놀러 오기로 했다 등등이었다. 그런 전화가 5분, 10분 간격
으로 걸려오자 오히려 필자가 짜증이 났다. 그런데도 이씨는 전혀 개
의치 않는 듯, 딸에게 상냥하게 대답해 주는 것이 신기했다.

인터뷰 말미에 그 이유를 알 수 있었다. 결혼생활 이야기가 나오자
그는 "이혼했다"고 주저 없이 밝혔다. 배우자의 경제적 기여도에 대해
서는 서슴없이 '마이너스 200%' 라고 평가했다. 처음에는 왜 이혼을 했
는지에 대해 언급을 회피하는 눈치였다.

그러나 이씨에 앞서 취재한 부자들의 이야기(주로 부부가 합심한 내
용)를 들려주자 조금씩 흥분하더니 자신의 팔자 탓을 했다. 양파 껍질
을 벗기듯 결혼생활을 털어놓았다.

이용승 씨는 전 아내를 언급할 때 '그 여자' 라는 표현을 썼다. 이야
기를 풀어 가는 중간중간에 "그 여자 때문에 고생한 것을 기록하자면
소설책 열 권을 써도 모자랄 것"이라는 말을 몇 번이나 했다. 이씨의
이야기를 간략하게 정리하면 다음과 같은 내용이다.

……나는 공업계 고등학교를 나와 카센터에서 수리공을 하면서 돈을 모
았다. 카센터 주인이 이민을 간다고 해서 가게를 인수받았다. 은행돈을 썼
는데 장사가 잘되어서 금세 갚았고 더 넓은 터를 잡아 가게를 옮겼다. 그럴
때 그 여자를 중매로 만났다. 가방 끈 긴 여자와 결혼한 나를, 친구들은 모
두 부러워했다.

주변에 아파트가 많이 들어서면서 장사가 잘됐다. 그런데 무리를 해서
조그만 땅을 산 것이 화근이었다. 그 대출금을 갚느라 생활비를 많이 주지
못할 때가 있었다. 그 여자가 길길이 날뛰었다. 장모가 가게에 찾아와서

"우리 딸 굶겨 죽일 거냐"며 악다구니를 쓰며 삿대질을 했다. 이때 이혼을 하지 않은 것이 지금도 후회된다.

카센터를 넘기고 중고차 단지에서 부품 도매상을 했다. 다른 점포를 또 하나 샀더니 그걸 알고 펄쩍 뛰었다. 좁아 터진 집에서 못살겠으니 그럴 돈 있으면 넓은 아파트로 가자며 생떼를 썼다. 25평이 두 식구 살기에 부족한 가? 그때 아이가 생겼다. 결혼 5년 만에 어렵게 임신이 됐다. 산모 소원 들어준다고 더 넓은 곳으로 이사를 갔다.

딸아이를 낳은 뒤 그 여자 허영기가 발동했다. 장모에게 애를 맡겨놓고 는 매일 에어로빅이다, 백화점 교양강좌다 하면서 쫓아다녔다. 끼리끼리 어울린다더니, 똑같은 여자들하고 뭉쳐 다니면서 돈 쓸 궁리만 했다. 오며 가며 주워 들은 얘기로 아는 척을 하며 나를 무시했다. 자기가 사업을 하면 더 잘할 수 있다고 떼를 쓰길래 아파트 근처에 빵집을 내주었다. 그 다음이 가관이었다.

처음에는 좀 하는 시늉을 했다. 그러다가 골프에 빠져 팽개쳤다. 석 달 만에 제빵기술자와 점원이 찾아왔다. 월급을 못 받았다고 했다. 기가 막혔 다. 하루 매상이 50만 원인데 그 돈을 죄다 자기 혼자서 다 썼다. 재료비며 직원 월급은 어쩌라고…. 장사의 기본 개념도 없는 것 아닌가.

그 일로 심하게 다투었다. 가게를 정리한 후 매일 시비를 걸어왔다. 생활 비가 적다면서 내 옷을 가위로 찢기도 했다. 아이에게 손찌검을 하고, 우리 어머니에게 부쳐드릴 용돈마저 보내지 않았다. 의부증까지 나타났다. 매 일 내 호주머니를 뒤졌다.

참다못해 3년 전에 합의 이혼했다. 위자료를 꽤 많이 줬는데 그것도 주식 하다가 날렸다는 얘기를 들었다. 그래도 어미 없이 자라는 딸아이에게 미안하다는 생각이 많이 든다. 딸도 그 여자를 좋아하지 않는다.……

인터뷰를 마치고 난 이용승 씨는 한숨을 쉬었다. "그 여자와 상종을 하지 않은 뒤로는 우리 집도 화목한 가정"이라면서 너털웃음을 지었다. 그러나 곧이어 이씨는 모든 것이 자신의 잘못이라고 말했다.

"내가 너무 독하게 살아서 그런 독사에게 물린 것이겠지요. 세상은 참 공평한 것 같아요."

악수를 나눈 뒤 은행 문을 나서는 이씨의 뒷모습이 처량하게 느껴졌다.

이제 부자는 3대 간다

"돈이 전부라고 가르치지 않는다.
아이들이 가난의 위험에 스스로 대처하도록 훈련시킨다.."
— 맹형주(부동산업) —

과장되게 표현하자면, 한국의 일부 부자 동네는 이미 대한민국 영토가 아니다. 그곳에서 자라는 아이들은 한국말을 쓰지 않는다. 자기들끼리 영어를 쓴다. 상당수의 아이들은 미국 또는 캐나다 등 외국 시민권을 가지고 있다.

더운 여름날 오후, 강북지역의 한 부자 동네 편의점에 들른 적이 있다. 이날 인터뷰하기로 한 사람은 내게 "내일 아침 일찍 외국으로 떠나야 하고, 지금은 짐을 꾸리고 있으니 집 근처로 와서 전화를 달라"고 정중히 부탁했다.

생수를 골라 막 계산대로 걸어가는데, 문을 열고 나가는 아이들이 유창한 영어를 구사하며 웃음을 터뜨렸다. 열 살이나 넘었을까.

"외국인인 모양이죠?"

"아뇨. 우리나라 애들이죠. 여기는 원래 그래요." 편의점 종업원의 말이다.

"외국에서 살다 왔나 보죠?"

"살다 온 게 아니고요. 유학 갔다가 방학이니까 온 거죠. 이 동네에서 지금 돌아다니는 저 또래 애들은 전부 유학생이에요. 여기서 학교 다니는 애들은 전부 어학연수 떠났으니까요. 아파트 단지가 텅 비었어요. 엄마들도 따라가니까요."

편의점 앞에서 전화를 했다. 그가 사는 아파트는 그곳에서 한참 떨어져 있었다. 대중교통 수단이 없는 것 같았다. 부자들은 왜 이렇게 교통이 불편한 곳에 사는지 그 이유를 모르겠다. 부자 동네를 방문할 때마다 느낀 것이지만, 그들이 사는 곳에는 정말 인적이 드물다.

아파트 밀집지역이라도 그렇다. 놀이터나 상가 등에서 사람 구경을 하기가 쉽지 않다. 북적거리는 서민층 주거지역과는 생판 다르다. 20분 가량을 걸어 약속 장소인 카페를 찾을 수 있었다. 한강이 훤하게 내려다보이는 곳이었다.

석지영 씨는 40대 중반의 호남형 스타일이었다. 외국계 금융기관에서 임원으로 일하고 있는데 연봉도 상당하지만, 주식과 채권, 외환 투자로 많은 돈을 벌었다. 대기업에 다니다가 사표를 내고, 미국에 늦깎이 유학을 갔다. 공부를 마치고 현지 증권사에 채용돼 일을 하다가, 1998년 한국으로 돌아왔다고 한다.

석씨는 "아내와 아이를 미국에 보냈기 때문에 휴가 때마다 오가고 있다"고 말했다. 지난 1998년에 귀국할 때는 함께 돌아왔지만, 아이의 미국 시민권이 아깝고 한국보다는 미국에서 교육을 시키는 것이 낫다고 판단해 다시 보냈다는 것이다. 그는 12살짜리 사내 아이 하나를 두고 있다.

"이 동네 아이들 중 태반은 유학 가 있다고 하던데, 사실인가 보죠?"

"저는 잘 모르죠. 회사와 집만을 오가니까요. 그런데 정말 그런 것 같기는 합니다. 쉬는 날에도 아이들이 별로 안 보이는 걸 보면…. 하긴 여기서 고생하는 것보다는 일찌감치 유학 가서 좋은 교육을 받는 것이 백번 낫지요."

그가 말하는 '좋은 교육' 이라는 것이 어떤 교육인지는 판단하기 어렵다. 그 교육이 좋아서 수많은 사람들이 아이를 외국으로 보내는 것인지, 아니면 부자들이 자꾸 아이들을 외국으로 보내니까 덩달아 보내는 것인지 섣불리 판단할 수 없다.

부자가 오히려 자식교육을 엄하게 한다

부잣집 아이들은 대개 버릇이 없다고 말한다. TV 드라마나 영화, 소설 등에는 보통 부잣집 아들이 망나니로 묘사되곤 한다. 그렇지만 필자가 확인한 바에 의하면, 일부를 제외한 상당수의 자수성가한 부자들은 자식을 엄하게 교육시키고 있었다. '자식들만큼은 예의 바르고 품위 있게 키워야 한다' 는 것이 그들의 생각이었다. 실제로 아이들이 어떻게 성장하건, 부자들이 그런 강한 의지를 갖고 있다는 점만큼은 무시할 수 없다.

하지만 부자들은 아이들 교육에 대한 태도에서 이중성을 보였다. 함윤열 씨가 그 전형이었다. 어디에 사는지 물었을 때, 그는 "동네가 마음에 안 들어 이사를 생각하고 있다"고 말했다. 그가 사는 대형 아파트 옆에 조그만 서민형 단지가 있는데, 아이들 교육에 좋지 않을 것 같아서 걱정이 된다는 주장이었다.

"왜요? 그게 아이 교육이랑 상관이 있나요?"

"당연하지요. 미관상 좋지도 않고…. 그런 애들과 어울리면 나쁜 물이 들기 쉽습니다."

자신의 아이가 예의 바르고 품위 있게 커야 하기 때문에 서민층 아이와 어울리는 것이 바람직하지 못하다는 주장이었다. 결국 그들이 말하는 '예의 바르고 품위 있게 키운다'는 것은 부자들의 세상에서 그렇다는 얘기로 귀결된다.

변호사 최병길 씨는 아내 탓을 했다. "집사람이 아이의 친구들을 가려주는 것 같아요. 엄마들끼리도 네트워크가 형성됩니다. 요즘 엄마들이 제일 싫어하는 아이가 어떤 부류인지 아세요? 부모가 맞벌이하는 집 아이이지요. 집에서 제대로 교육시키지 않으니까 엇나갈 가능성이 높고 버릇도 없다는 거죠."

최씨의 말이 현실 그대로다. 부자들은 자녀를 사립 초등학교에 보내 '부잣집 출신의 평생 친구'를 만들어준다. 중학교와 고등학교 때도 마찬가지다. 비슷한 수준의 부자들끼리 '과외 네트워크'가 형성되고, 그 인연이 평생 동안 이어진다. 요즘 추세를 보면 부잣집 출신의 아이들이 이른바 명문대에 진학할 확률이 점점 높아지고 있다. 가난한 집 출신의 아이보다 몇 킬로미터 앞에서 마라톤을 출발하는 형국이다. 어릴 적부터 형성된 인맥으로 서로 끌어주고 밀어주기도 한다.

자녀에 대한 재산 분배 계획

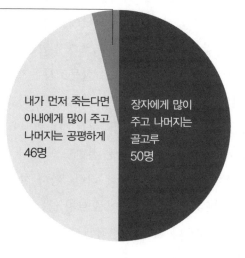

전혀 물려주지 않겠다
4명

내가 먼저 죽는다면 아내에게 많이 주고 나머지는 공평하게
46명

장자에게 많이 주고 나머지는 골고루
50명

　그래서 '3대 가는 부자 없다' 는 말은 이제 무용지물이나 다름없다. 예전에는 거액을 상속받은 아들이 주색잡기에 빠져 가산을 탕진하는 경우가 많았다. 어렵게 사는 아버지들이 자녀에게 선친의 핑계를 대곤 했다. '증조부는 만석꾼이었지. 그런데 너희 할아버지가 노름을 하다가 전부 날려서 이렇게 됐다' 는 식이었다.

　하지만 이제는 이런 핑계거리가 더 이상 통하지 않는다. 돈이 많은 사람들은 자식 주변에 견고한 시스템을 만들어 재산이 3대, 4대에 이르러도 줄지 않게 만들어놓는다. 아이들의 부자 친구가 그것이고, 돈으로 고용하는 전문가들이 다른 한 축을 형성한다. 부자와 부자가 아닌 사람을 가로막는 벽이 그만큼 높아지고 있다는 의미다. 부자들은 지식과 정보를 독점하며 쌓은 부를 대대로 이어갈 것이다.

다만, 이들 중 일부가 갖고 있는 '가난에 대한 경멸'은 안타깝다. 일부 부자들의 이 같은 자세가 중산층으로까지 확산되고 있다. 얼마 전, 한 연구소에서 서울시민을 대상으로 설문조사를 벌인 결과가 재미있다. 서울시민의 80%가 자신을 중산층이라고 생각하고 있다는 것. 특히 스스로를 중상위층 이상이라고 생각하는 사람이 6.4%였다. 그러나 이 중에서 재산이 3억 원을 넘는 사람은 절반도 안 됐다.

중산층 거주지역에서도 서민층에 대한 '왕따 현상'이 나타나고 있다. '저 사람들 때문에 우리 집 값이 오르지 않는다'거나 '아이들 교육에 방해가 된다'는 투다. 노골적인 적개심을 드러내는 사람들도 있다. 한편 부유층만을 대상으로 했던 초등학생 해외연수 프로그램이 월급쟁이 동네까지 급속히 확산되고 있다. 방학을 마치고 등교한 아이들 간에 패가 나뉜다. 하나는 외국에 다녀온 쪽이고, 다른 하나는 대화에 끼지 못하는 쪽이다. 국내 학원에서 배운 영어발음이 어설프다고 따돌림을 당한다.

돈이 없는 것은 정말 용서받을 수 없는 죄인가. 관용이 부족한 사회에서 살고 있는 우리가 한번 깊이 생각해 보아야 할 문제다.

당신은 행복하십니까?

"옛날에는 돈이 없어 힘들었고 지금은 자식들이 속을 썩여 힘들다.
편안한 생이란 게 있겠는가."
― 이순애(주부) ―

우리는 흔히 부자들을 접할 때마다 이런 부러움을 갖게 된다. '저들은 돈이 많아서 행복할 거야. 최소한 돈 걱정은 하지 않으니까.' 하고 말이다.

그래서 '경제적으로 여유 있기 때문에 걱정이 없는지'를 설문 항목에 넣었다. 그 답변은 예상한 대로였다. 돈이 많은 것은 행복의 필요조건이 될 수는 있다. 그러나 충분조건은 아니라는 것이었다.

명현곤 씨는 아들 문제 때문에 골치를 썩이고 있었다. 재작년에 대학을 졸업한 아들이 백수로 지내면서 집안에 우환이 끊일 날이 없다는 것이었다. 명씨가 알선해 준 직장에 다니기도 했으나, 2달을 넘긴 적이 없었다. '결혼을 하면 정신을 차리겠지.' 하는 마음에 장가를 보냈으나 걸핏하면 며느리에게 손찌검을 하는 바람에 온 가족이 살얼음판 위

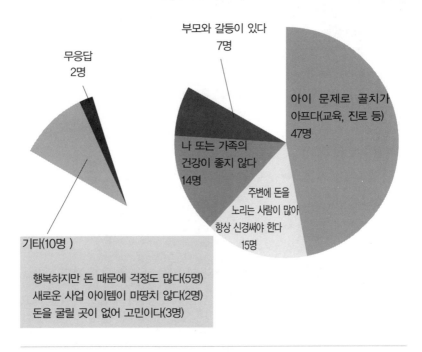

무응답
2명

부모와 갈등이 있다
7명

아이 문제로 골치가
아프다(교육, 진로 등)
47명

나 또는 가족의
건강이 좋지 않다
14명

주변에 돈을
노리는 사람이 많아
항상 신경써야 한다
15명

기타(10명)

행복하지만 돈 때문에 걱정도 많다(5명)
새로운 사업 아이템이 마땅치 않다(2명)
돈을 굴릴 곳이 없어 고민이다(3명)

를 걷고 있다.

술집을 전전하면서 신용카드를 남발하는 통에 1,000만 원이 넘는 고지서가 날아오기 일쑤였다. 며느리에게 생활비를 충당하라고 가게를 내주었으나, 아들이 그 수입에 손을 대자 곧바로 정리를 시켰다. 대책이 없다는 것이 명씨의 하소연이었다.

심종수 씨도 아들로 인해 고통을 받고 있었다. 고등학교 2학년인 그의 아들은 올해에도 전학을 갔다. 중학교 때부터 제적 위기에 몰린 것을 하소연해 전학시킨 것이 6차례에 이른다.

부자들 가운데 '돈 걱정이 없어 행복하다'고 응답한 사람은 없었다. '남들과 다를 바 없다. 돈과 걱정은 별개의 문제다'라는 답변이 가장 많았다. 상당수의 부자들이 자녀 문제로 인해 시름에 잠겨 있었다.

자녀들을 엄격하게 가르치고 있지만, 아이의 인생이라는 것이 부모의 의도대로 풀리지만은 않은 모양이다. 또한 남들이 보기에는 '잘 풀리는 인생'이지만, 부자들은 그보다 큰 기대를 갖고 있는 것으로 보였다. 재산에의 욕심이 자녀문제로 이어진다.

부자에게도 재산이 행복의 척도는 아니다

재미있는 것은 이처럼 자녀로 인해 고통을 받으면서도 자녀에 대한 희망과 미련을 버리지 못하고 있다는 대목이었다. 부모의 심리라는 것은 참 묘하다.

명현곤 씨는 "일을 하지 않는 놈은 사내놈이 아니다"라면서, "무슨 수단을 써서라도 취직을 시켜 세상 무서운 맛을 보여줘야겠다"고 말했다. 명씨는 "우리 애가 원래는 그렇지 않았는데 잠깐 길을 잘못 들어서는 바람에 어긋났다"고 굳이 변명까지 했다.

이는 심종수 씨도 마찬가지. 심씨는 "강아지를 너무 좋아할 만큼 마음이 여린 아이였다"면서, "친구를 잘못 사귀어 폭력조직을 따라다니다가 이 꼴이 됐다"고 나름의 진단을 내렸다. 심씨는 "젊었을 때 실수는 누구나 하는 것"이라며, "철이 들면 제 길을 찾을 것"이라고 낙관했다. 이들은 "못난 아이지만 재산을 물려주어 어렵지 않게 살도록 하겠다"며 자녀에 대한 배려를 잊지 않았다. 부모가 어렵사리 자수성가로 벌어들인 돈을 이런 2세가 이어받아 지켜낼 수 있을지 두고 볼 일이다.

  100명의 부자들 중 '자녀에게 재산을 물려주지 않겠다'고 응답한 사람은 4명이었다. 이들은 '전 재산을 사회단체 등에 기부하겠다'는 의사를 밝혔다. 나머지 96명 중 43명이 '일부 재산을 사회에 환원할 의사가 있다'고 말했다. 자녀에게 물려줄 때는 '공평하게 나눠주겠다(46명)'와 '장자에게 많이 주고 나머지는 공평하게 나눠주겠다(50명)'는 대답이 비슷하게 나왔다.

  이 같은 반응을 놓고 볼 때 부자들은 재산이 행복의 절대적인 척도라고 생각하는 것 같지는 않았다. '돈 = 도구'라는 인식이 강한 것으로 보인다. 행복은 돈으로 살 수 있는 성질의 것이 아닌 모양이다.